文春文庫

半径500 m《メートル》の日常

群ようこ

文藝春秋

目次

ワカメちゃん、クリちゃん頭はもう
御免、腕のいい美容師求めて幾星霜
139

「恋すればきれいになる」のまやかしに
乗せて乗せられ、この世の中は丸くなる
143

剃ってまで何故にそんなに見せたがる
最新流行ハイレッグ水着の摩訶不思議
147

〽夏が来れば思い出すパンチのおばさん
青うなじ♬という訳で「珍」な髪型特集
151

すれちがう娘がみんな同じ顔
渋谷の雑踏で見たSF的光景
155

化粧品売り場にたむろする青年は口紅眉墨
ファンデーションで、男前一丁上がり！
160

シェイプアップに水泳しよう、心掛けは
よかったが……いまだ越せない水着の壁
165

女ガキ大将から天才ピアニストへの夢が
あえなくついえたソナチネの日々
170

本が売れれば売れるほど我が恥も広まる
作家の娘を持った母の頭痛のタネ
175

懐かしの「スタイルブック」を読んで反省
古い服を新鮮に着るこの工夫、この努力
180

半径500m《メートル》の日常

親のスネを頼りのマンション購入
自称「自立する女」の恥しらず

最近、「マンション買わないんですか」といわれることがよくある。そういわれてみて初めて、「あー、マンションねぇ」と思ったりもするのだが、あまりピンとこない。私の親が引っ越し魔で（というよりは定収入がなかった）、借家を転々としたために、あっちこっちフラフラしているほうが気分がいいのである。まして、日本みたいに狭くて、地べたの値段が目がとび出るほど高い土地に、不動産を買う必要などないと思っているのだ。

ところが、三十歳すぎてもずーっと女の人が働くようになってから、ここのところ巷《ちまた》では、ずいぶん独身女性がマンションを購入しているようだ。かつては銀行も金を貸すのを渋っていたが、今では喜んで貸してくれるらしい。金利も低いし、絶対借りているよりも買ったほうがいい、という人もいるのだが、私はどうもあのローンというのが嫌なのである。でも、他人、特に同年配の女性がマンションを買ったという話を見たり聞いたりするのは好きで、雑誌に載っているとついつい見てしまう。会社員でも自由業でも、不動産を買うためにどんな生活をしていたのかに興味があるからだ。しかし、それを読むと必ず私はその記事に向かって「バカたれ!」と叫びたくなる。きれいな白亜のマンションの中で、ニッコリ笑ってポーズをとっているその女のほとんどは、自分一人の力でそのマンションを買ってないからである。ページを開くと、まず写真に目がいく。まあ、きれいなマンションね。いくらかしら、わあ、三千万もするの。すごいわね。この人いくつかしら。あら私よりも一つ若い。女手ひとつでよくやったわね……、と思いつつ記事の細かい写植文字を追っていくと、「頭金は親に出してもらったから、ローンの支払いは家賃程度で済んでます」とか、中には親に買ってもらったマンションを売って頭金にしたとか、ひどいのになると親に買ってもらって、自分は管理費しか払ってないとか、そんな女が出ている。

「あんたら、よく恥かしげもなくニッコリ笑っていられるね!!」

と私は、彼女たちのきれいに化粧した顔に向かっていってやるのだ。マンションを買っただの何だのいったって、結局は親がかりの甘ったれじゃないか。三十すぎてそういうことやってて、恥かしいと思わないのかね。そういうのに限って「女も一人で働くのは大変だわ。でも自立するためには張り切らなくちゃ」などと、なかなかのセリフを吐くのである。親に金を出してもらって、そこまでしてマンションを買いたいのか。自分の経済力の中で楽しんで生活をしようと思わないのかね。きっとそういう女たちは、頭が悪くて「狭いながらも楽しい我が家にしよう」というアイデアが浮かばないか、見栄っぱりかどっちかだ。

これは三十すぎの独身女だけの問題ではない。私の知り合いに、四十歳間近で、ちゃんと平均サラリーマン以上の収入があるのに、「住んでいる地名がカッコ悪い」「もうちょっと洒落《しゃれ》た家に住みたい」といって、親から金を出してもらって、誰に住所をいっても恥かしくない番地に引っ越した人がいた。みんなに「いい家ですね」とほめられて喜んでいたが、私はいい年して何たるバカ者かと思っていた。学生時代は仕送りをしてもらったうえにアルバイトをして、なかなかリッチだったが、会社に入ったとたんに生活が苦しくなり、生活程度を下げるのがイヤだから、不足分を社会人になっても仕送りしてもらっている輩《やから》もいるそうだ。若いときは金がなくてあたりまえなんだけど、分相応の生活をするのって、そんなに恥かしいことなのだろうか。だいたい、いい年した子供に金を出す親も親だ。いい寄られてもつっぱねて毅然としていればいいのに、よほど金が余っているとみえる。私は幸か不幸か家が貧乏だったおかげで、金が無いことに慣れているから、他人にどう思われようと何とも思わない。貧乏育ちは強い。たまにふざけ

て、親に、

「ねーえ、マンションの頭金を出してくれない」

といってみると、

「バカ！　この金は私が稼いだ金だ！　これからもっともっとやりたいことがあるから、そのためにとっておいたのだ。おまえなんかにやれるか」

という。私はそういう親を、とても立派だと思う。チャラチャラした流行の服を着て、きれいに化粧した、自称、自立する女は、実はいい年して親のスネをかじって三ＬＤＫのマンションに住んでいる。妻子のために狭い建売りを買い、服も三年に一度しか買わず、往復三時間もかけて通勤している日本のお父さんが、あまりにかわいそうになってくるのである。

げにすさまじきは肉食民族、産婆なく三畳間でハサミ片手に子を産み落す

仲のよい友だちとの忘年会で、一年を振り返ってみて身近に起こった一番びっくりした出来事は何だったかを話しあった。私の場合は弟の入院である。精密検査で結核菌が胸のリンパ腺にひっかかっていることがわかり、薬を投与したら三日で平熱に戻って、あっという間に退院という素早さではあったが、精密検査の結果がわかるまではまるで針のむしろに座っているみたいだった。A子もお兄さんの入院が一番のびっくり事件であった。お兄さんの場合は過労による突発性難聴で、突然何も聴こえなくなってこれまた大騒ぎだったそうである。

主婦のB子の場合はよく考えてみたら夫婦生活が年に三回しかなかったことが一番びっくりしたことだった。結婚して五年になるが、年々なんか数が少なくなってきたよう

な気がすると感じてはいたのだが、あらためて家計簿につけた夫婦生活の記録の赤い丸じるしを確認したらたった三つしかなかった。正直いって彼女は、びっくりしたのを通り越して怒っているのだ。「あーら、そんなことといったら私たちなんかどうなるのよねえ」と私とA子がいうと、「別々に住んでいるならいいのよ。私はいつも隣に寝てるのよ。それなのに年に三回というのは馬鹿にしている」とプリプリしている。彼女の場合は夫婦生活の話題になるといつも怒り出すので、私たちは早々にC子ちゃんはいかに、と話題を変えた。すると彼女のもとの彼氏だったイタリア人がアメリカ人の女性と結婚して子供が生まれたのだという。私は会ったことはないが、いつまでたっても彼の面倒臭い名前が覚えられず、「ガスパチョ君」と呼んでは嫌がられていたのだ。これだけだったら別にただおめでたい話だが、彼らが病院にいかないで子供を産んでしまったというのに私たちはびっくりしてしまったのである。

彼らがアメリカで知りあい、八カ月になったお腹《なか》をかかえて日本に再入国したときに、ガスパチョがC子のところに電話をかけてきて、「子供が生まれる。でも円高のせいでお金がないので、産婆さんを紹介してくれ」といってきた。いまどき珍しい奴だと思っていたのだが、彼女にも産婆さんのあてなどなく、仕事も忙しかったこともあってそのままにしていたら、あっという間に産み月になってしまった。C子が心配になって電話してみると、ガスパチョは「産婆さんがみつからなかったし、お金がかかるので自分たちだけで産んでしまいました」と平然といったというのである。これは今はやりの夫の立ち会い出産とか、ラマーズ法の夫婦協力出産とは訳が違い相当不気味なことである。

彼らが住んでいるのは三畳一間の壁の薄い留学生用の下宿である。C子の話によるとガスパチョは同衾《どうきん》するや朝まで延々と頑張る人だったそうで、彼女は付き合っている間その件に関しては辛い思いをしたといっていた。各国から来ているマジメな留学生諸君が狭い場所で苦学しているのに、そのなかで体のでっかい夫婦者が朝まで何やらやらかしていたら、まわりはたまったものではない。それだけでもびっくりものなのに、その三畳間で出産したなんて信じられなかった。「へその緒とかどうしたんだろうね」B子が聞くと、「ハサミかなんかで切ったみたいよ」とC子がいう。私たちはそれをきいて「ひえーっ。消毒は、消毒は」と背中をゾクゾクさせた。「あの男がそんなことに気が付くとは思えないわねえ。第一、奥さんがアメリカ人なのに、どうしてわざわざ日本に来て産むのよ。普通だったら安心して産めるところで産もうとするんじゃないの。きっとこまかいことには何にもこだわらない人たちなんだろうからさ、適当に切ったんじゃない」。C子は自分の過去の男がしでかしたことなので非常に冷静であった。

しかし冷静になれないのはガスパチョとは何の関係もない私たちである。何年か前にエコロジーに関する翻訳本を読んだことがあった。そこには自然のなかで女一人で子供を産もうという文章があり、干し草の上に寝っころがったイラストが載っていたりして

「人間も動物なんだし、そういうこともあったっていいわさ」と納得できたのである。しかしこのガスパチョ夫婦はいけない。狭い三畳間でハサミを片手に、うんうんうなっている妻の股間を、今か今かと見つめて待っているイタリア男の姿を想像すると、いくら彼らが円高の被害を受けたとはいえ、滑稽《こっけい》というより恐ろしくなってしまった。「きっと三畳は血みどろよ。彼らが引っ越したあと、何にも知らないマジメな留学生がカレーパンをかじりながらそこで勉強するのよね。ひえーっ」。私たちは目の前の大根と帆立貝のサラダに手を付ける気になれず、ただ「怖い、怖い」といい続けていた。結局私の八七年は「肉食民族はやることがすごい」という結論で、びっくりしたまま終わってしまったのであった。

芸能人夫婦の家庭を想像してみると、絶対遊びにいきたくないのは誰の家？

気候がよくなってくると、次々と新婚カップルから新居のお知らせが届くようになる。私より年上の人からも、年下の人からもどんどん来る。もらって文句をいうわけではないけれど、どうして文末に必ず、

「近くにおいでの節は、どうぞお立ち寄りください」

と書いてあるのだろう。

「新婚家庭に入れ替わり立ち替わり友だちが押しかけて来たら、迷惑に決まっているじゃないの」

とワンパターンの挨拶状を見ながら、そんなに来てもらいたければ、いつでもいってやるわいと私はつぶやく。いっそ、

「私共は新婚ですので、半年くらいは遊びに来るのは御遠慮ください」

くらいのことを書いてくれれば、

「なかなかやるねえ」

と誉《ほ》めてあげるのに、今までそのような文面の挨拶状はもらったことがない。心にもないことを書くなといいたいのである。

こんなことをぶつぶついっていたら、その夜、友だちでも何でもないのに、芸能人夫婦の家に遊びにいった夢を見てしまった。その相手が渡辺徹と榊原郁恵というのは、夢の中とはいえなかなか鋭い選択だと私は感心した。正直いって、気軽にホイホイ遊びにいける雰囲気の夫婦と、そうでない夫婦がいる。他人が入り込むスキがない、二人だけが異様に盛り上がっている夫婦というのはまわりから見ると結構けむったいものであるが、この夫婦はきっと前者のようなタイプだろう。

私が手ぶらでぼーっと玄関に立っていると、渡辺徹が、

「どうぞ、どうぞ」

と招きいれて、まず赤ん坊をみせてくれた。すぐ帰ろうとすると熱心にひきとめて、榊原郁恵手作りの晩御飯をごちそうしてくれた。夜中になったので帰ろうとしても、

「かまいませんから泊まってくださいよ」

とまたまた熱心にひきとめられ、しまいには私が寝ている客布団に夫婦が添い寝まで

してくれるという熱烈歓迎の夢であった。夢からさめて、添い寝はまだしも、もしかしたらこれはけっこう当たっているのではないかと思った。

その反対に、絶対に呼ばれることはないが、そうなったときに躊躇《ちゅうちょ》する芸能人夫婦はいったい誰かと考えて、まず頭に浮かんだのが郷ひろみ夫婦である。家に遊びにいくには、シャネルのお洋服やアクセサリーを身につけ、ケーキではない気のきいたおみやげのひとつも持っていかなければ軽蔑されそうだ。ただし白人のお友だちがいたら、連れていくととっても喜んでもらえる可能性はある。おまけに子供には、日本の名前の他に「ケイティ」とかいう愛称まであるそうだ。いったいこれは何なのだ？　もしも私の両親が「ビビアン」などという愛称を私につけて、毎日、平たい鼻ぺちゃの顔に向かって呼びかけていたら、相当に気持ち悪いことである。そういうことが平気でできる人の感覚はよくわからない。もしも次の男の子ができたらば、ぜひ「ゴンザレス」という愛称をつけていただきたい。

躊躇するのではなく、絶対に遊びにいきたくない夫婦は小柳ルミ子のところである。あまりに彼女が目立ちすぎるので、私は未だダンナの名前を知らない。もともと歩く生殖器みたいなタイプの彼女が、

「ほら、見て、見て」

と、べたべたしているのを見せつけられると、うらやましいというよりも何か怖い。

おまけに事あるごとに「愛のセレブレーション」を、これでもかこれでもかと踊るのもいい加減やめてもらいたいものだ。以前はそんなことはなかったのに、彼らのせいで私はあの曲を聞くたびに、二人が妙に気を入れて踊っている姿が思い出されて、条件反射で笑ってしまうようになってしまった。この夫婦の家に遊びにいったらきっとすごいぞ。もしかして踊っているかエッチしているかのふたつしかないんじゃなかろうか。玄関に足をふみいれたとたんに、

「邪魔だからすぐ帰れば」

なんていうような目つきをされそうだ。こちらが何をいっても、夫婦はしっかと手をつないでお互いの目を見つめ、うっとりするだけ。あの五月みどりが結婚したときは、

「かわいいな」

と思ったりしたが、小柳ルミ子の場合は、

「もう結構です」

という感じだ。別に私は彼女たちの家に呼ばれるわけじゃないし、単に想像して面白がっているだけだ。余計なお世話だがやっぱり彼らも挨拶状には、

「近くにおいでの節は、どうぞお立ち寄りください」

などと書いたのだろうか。

巨大ナメクジにヘビの群、蚊に襲われて真っ赤っ赤。それでも行くぞマゾ旅行者

私と友人の間では誰かが海外旅行にいったあと必ず、「現地で何が起こったか報告会」が開かれる。集まってバクバク物を食べながら、当人の話に相槌《あいづち》を打つ、ただそれだけのことなのだが、ある友人の話をきいて、私たちはビックリ仰天したことがある。彼女は「金はないが体力だけはある」のが自慢だった。身長百七十センチ、体重六十キロという堂々たる体軀《たいく》。学生時代には満員電車のなかで痴漢に間違えられたくらい、ちょっと目には性別が不明なのである。おまけにパリにいってブランド品を買い漁《あさ》るなんていうことは大嫌いな性格だから、おのずと旅行するのも体力にものをいわせたものになる。

そういう意味では入国した某国は、彼女にとってもふさわしかった。一日に二、三便しかないバスに揺られて山のふもとに着いたときも、一緒に降りる人などいない。うっ

そうと茂る森の中には民家もなく、ただ、ずーっとぬかるんだ道が続いている。

「これはなかなかすごい所だ」

あたりを見渡して呆然としていても仕方がないので、とぼとぼと歩き出した。もたもたしていると、帰りのバスに乗りそこなって、野宿しなければならなくなるからである。湿地帯のため、足元にはフナムシみたいなやたら足の数の多い生き物が、やたらと走りまわっている。転ばないようにぬかるみを気をつけて歩いていると、突然、頭上に茂った木から、バラバラと何かが落ちてきた。驚いてTシャツから出ている腕をみると、そこにはびっしりと蛭《ひる》がへばりついているではないか。あわてて手で払おうとしたが、しつこく腕にはりついて、ちょっと払ったくらいじゃとれない。一匹ずつ腕から引き剝《は》がして地面に叩き付けないと、延々と腕にはりついて血を吸い続けているという、まるでホラー映画みたいな状態になっていたのである。しつこい蛭を摑《つか》んでは投げ、摑んでは投げして、やっとの思いで全部退治した。蛭がへばりついていた跡は、しっかりと内出血していたそうである。これだけでも気の弱い人だったら、尻尾を巻いて逃げ出すのに、こんなことでめげない偉丈夫の彼女は、「ケッ」といいながら再び歩き始めた。相変わらず足元では人の気配に驚いたフナムシもどきが右往左往し、蛭は落ちてこないまでも、湿っぽくて暗い雰囲気の木が立ち並んでいて、陰気なことこのうえない。

そんな景色のなかを小一時間歩くと、突然、きれいな草原が目の前に広がった。ぬかるみと砂利と蛭とフナムシもどきが一団となったさっきまでの道のりが、まるで嘘のようだった。

「やっぱり苦しみのあとには、喜びが待っているのね」

彼女は両手をグルグルまわして深呼吸をした。見渡す限り緑色だけ。蛭を隠し持っている陰気な木と違って、ここの草原の木は見るからに明るい。吹いている風もカラッとしている。青い空には鳥が飛び、まるで絵葉書のような美しさである。今までの緊張がとけてほっとしたとたん、彼女は尿意を催した。ここにいるのは自分だけだが、いつ誰がやってくるかわからない。というわけで、空にむかって伸びている木の根元にいって、その陰で用を足すことにしたわけである。さて、としゃがみこんで目の前を見ると、木に長さ三十センチくらいのヘチマがなっていた。黄色い色をしていて、ところどころに黒いブツブツがある。土産に持って帰ろうと手を伸ばし、あらためてよく見ると、それはヘチマではなく、大きな大きなナメクジだった。さすがの彼女も無防備な格好で巨大ナメクジに遭遇して気が動転し、出るものもひっこんでしまったので、パンツをずりあげながらあわててその場から逃げた。ナメクジが追っかけてくるわけでもないのに、とにかく草原を必死で逃げた。

しばらく走って草の上にへたりこんだ。木の陰はちょっとあぶないが、草の上はふかふかして気持ちがいい。風にふかれて少し気分を持ち直した彼女は、ふたたび尿意を催した。ほっとすると催すタイプなのである。そこでちょっと大胆だとは思ったが、気分のいい草の上で用を足すことにした。巨大ナメクジにでっくわすよりも、地元の人に見られる危険性のほうを選んだのだ。パンツをおろし、さて、と思った瞬間、遠くからザワザワという音がきこえてきた。誰か来たかと中腰になって身構えたが人の気配はない。不安になってまた出るものがひっこんでしまった彼女の耳に、ザワザワという不気味な音が近づいてくる。おそるおそるあたりを見回しながらパンツをはきかけると、何とこんどは彼女の背後からものすごい数の尺取り虫の大群が、くねくねと体をうごめかせながらおし寄せてきたところだったのであった。

「ひえーっ」

彼女はズボンのジッパーを開けっ放したまま、ともかくすさまじい勢いで山を降りた。逃げまどうフナムシもどきを踏み潰《つぶ》しながら必死でバスの停留所までたどりついた。停留所といってもただ雨避けの屋根があるだけ。そこにへたりこんでいると、ヘビは徒党を組んで「こんにちは」と挨拶しにくるし、蚊もブンブン飛んでくる。ヘビに嚙まれるくらいなら蚊にくわれたほうがマシだと、集中的にヘビを刺激しないように気をつけていたら、蚊にくいたいだけくわれて、体中真っ赤に腫《は》れあがってしまった。マブタまでくわれて、形相はまるで半魚人。バスに乗った彼女の姿を見て、乗り合わせた地元の人々は、楽しそうにニコニコ笑っていたそうである。

蛭、巨大ナメクジ、尺取り虫の大群に攻められたあげく、最後に待っていたのは地元の人たちの無邪気な笑い。私から見ればこんな悲惨な旅行はないと思うのに、彼女は、「楽しかった」といい張る。

「そんなの楽しいわけないわよ」といっても、楽しかったといってきかない。私はパリでお買物旅行も嫌だけど、蛭や巨大ナメクジに邪魔されるのも嫌だ。きっとそういう目にあったら、金輪際そういうところにはいかないと思うのに、彼女は相変わらずリュックサックを背負って、あっちこっち歩き回っている。初めの頃はこの根性に感心していたが、最近は半分あきれかえってしまい、友人一同、彼女のことを「恐怖のマゾ旅行者」と呼んでいるのである。

同級生を義母と間違われ、しみじみ思う人類の「個体差」の不思議

最近、私と友だちの間ではどうして人間には「個体差」があるのか話題になっている。どうしてああいうことが起きるのか、不思議でたまらないのである。友だちのA子は五年前に男の子を出産した。ところが彼は生まれたときにすでに四千三百グラムもあって、その産婦人科病院で生まれた赤ちゃんの、三デブのうちのひとりとして記録されることになってしまった。A子は身長は百五十五センチ、体重四十四キロ。どちらかというとヤセ型である。父親も中肉中背である。親戚にも大柄な人はいない。それなのに生まれた子供は大型なのだ。

ふつう新生児室には、くちゃっとした同じような赤ん坊が並んでいて、顔つきでは見分けがつかないものだが、彼女の赤ん坊は顔が肉でつっぱって、てかてかと光っている。

体も巨大だから一目瞭然なのである。親としては体は大きくてもそれなりにかわいい。しかし他の人たちが彼女の子供とは知らずに、

「見てごらんなさいよ、あんなに大きいの」

といいながらプッと笑っている場面に何度もでくわしてしまうと、ムッとする反面、

「このまま大きくなり続けたらどうしよう」

と心配になってきたと告白したこともある。

小柄な彼女が抱っこしているとどっちが大人だかわからない。母親よりも顔がでかいのである。

彼女が彼を乳母車に押し込んで公園を散歩していると、年配の御婦人が、

「何カ月ですか？」

といいながら中をのぞきこんできた。

「三カ月です」

と彼女が答えると、その年配の御婦人は彼の姿を見るなり、

「えっ……」

といったまま絶句してしまった。気まずい沈黙が流れると、御婦人はあわてて、

「あら、あら、そうですか。お元気そうでよろしいわねえ」

といい残し、足早に去っていったというのだ。

彼は生まれてこのかた、「すごい」とはいわれるが、「かわいい」といわれたことがない。検診のときも他の赤ちゃんは、かわいらしく泣いているのに、ひとりだけすさまじい声で「びえーっ」と泣く。A子はお母さんたちの間から聞こえてくる、

「まあ、すごい」

というささやきのなかで、いつも身を硬くしていた。

「うちではこの子を『おっさん』と呼んでいます」

父親は布団の上にどでっと俵のように寝ている息子を見ながらいった。それから私たちも彼のことを、「おっさん」と呼んでかわいがっていたのだが、三歳くらいから他の子とも体型が変わらなくなり、今では「おっさん」と呼ばれたことがウソのような、普通の子供になってしまったのである。

子供の場合はまだ無限の可能性があるから、生まれたときに体が大きくても小さくても、それほど心配する必要はなさそうだが、だんだん歳をとってくると個体差は深刻な問題になってくる。先日、久し振りに高校時代の友だちから電話があった。私が子供を抱いて、義理の母親と新宿を歩いていたのを、車のなかから見たというのだ。そのとき私がギョッとしたのは、別に隠していた事実がバレてしまったからではない。その日、私は彼女がいうとおり新宿を歩いていた。しかし一緒にいたのは義理の母親ではなくて、中学時代の同級生だったのである。ばったりデパートで会い、駅まで歩くうちに彼女が

バッグから財布を出そうとしたので、その間、私が子供を抱いていただけなのだ。

よく学生時代から老けている人はいるが、彼女はそのようなタイプではなかった。年相応にみえるふつうの女学生だった。きっと彼女は卒業してから一年に二歳ずつ、自分が気がつかないくらいに、じわりじわりと老けていき、三十六歳になったときには、私の義理の母と間違われるくらいまでになってしまったのだろう。

「他人事じゃないわよねえ。彼女だって何も悪いことをしてないのに、どうしてあんなふうに老けちゃったのかしら」

私と目撃者の友だちは電話口でため息をついた。若いときから老けてみられた人は、歳をとれば逆に若くみられるともいう。しかしそういうタイプだった人に聞いてみると、歳をとってもそれなりに老けてしまい、未だに「若くみえますね」といわれたことがないそうだ。だんだん歳をとるにつれて、個体差は如実に体に現れてくる。別に若くみられるからといって長生きするわけではないが、同性としては個体差だから仕方ないじゃないかと割り切れないものがある。義理の母親に間違えられた彼女のことを考えると、つくづく、

「個体差って、なかなかつらいものだな」

と思ってしまうのである。

あなたは誰かのそっくりさん？思い出したくない屈辱の過去

母親に聞いた話だが、私は赤ん坊のときに中村勘九郎にそっくりだったそうである。当時中村勘九郎のそっくり赤ちゃんを公募したイベントがあり、うちの両親は、

「絶対この子が一等賞だ」

と喜びいさんで応募した。しかし締め切り日を間違えてしまい、私の写真は審査員の目に触れることはなかった。そのことを彼らはずっと悔やんでいたらしく、

「本当にそっくりだったんだよ……」

と、ため息をつきながらいつもいったものだ。そういえばひとえまぶたは似ているかなと思ったが、どちらかというと女優さんに似ているといわれたかった。

隣の家のお姉さんは倍賞千恵子にそっくりで、とってもうらやましかった。小学校低

学年だった私にとって、世の中で一番きれいな女の人は倍賞千恵子だったのだ。あるとき母親と買物にいった帰り、お姉さんとばったり道で会った。雑談をしたそのときに、私は今まで心の中で思っていたことをいってみた。

「お姉さんは倍賞千恵子によく似てるね」

これは私からの心からの賛美のことばだった。彼女は、

「あら、そう」

といってにこっと笑った。ところがお姉さんと別れて歩き出すと、母親に、

「あんた、むやみに誰かに似てるなんていうものじゃないのよ。もしその人が似てるといわれた人のことを好きじゃなかったら嫌な気持ちがするでしょ」

とおこられた。それだったら、私の中村勘九郎だって両手《もろて》を上げて喜べる相手じゃない。

「それじゃ、中村勘九郎に似てるっていった私のことはどうなるの」

と文句をいうと、母親は平然と、「私は知らない」と製作担当者のくせに、責任のがれをしようとした。

私は顔のつくりが単純なせいか、中村勘九郎だけではなく、成長するにつれていろいろな人に似ているといわれた。小学校高学年から中学を卒業するまでは沢田雅美。高校時代は髪を伸ばしたのが災いしてミッキー吉野。体調を崩して体重が二十キロ減った大

学時代はデビューしたばかりの岩崎宏美（ちなみに彼女は今より太っていた）。そして五年程前にショートカットにしたときは小林聡美とか長与千種などという人々の名前がでた。私にもこのような「そっくりの歴史」がある。するときっと他の人もあるんじゃないかとだんだん興味がわいてきて、まわりにいる人たちに片っ端から誰に似ているといわれたか調査した。

まず、うちの弟の幼少時代は玖保キリコの『いまどきのこども』に登場する、しもぶくれのヘヴィメタ少年、ツグムくんである。そして成長した現在は、コラムニストの泉麻人氏とウリふたつである。私の小学校からの親友は片平なぎさ。知り合いの少々頭髪が薄くなってきた男性は、「ジョン・ローンに似ている」といわれて天にも昇る気持ちでいたが、よく話をきいてみると、『ラストエンペラー』のときに「弁髪」にしたジョン・ローンだといわれてくさっていた。次は担当編集者を問い詰めてみた。はきはきして元気のいい二十二歳の女性編集者は、

「私は特に誰かに似てるといわれたことはありませんが、うちの弟は島田紳助にそっくりです」

と胸を張っていた。小学校から有名なお嬢様学校に通い、大学は東大という二十二歳の女性編集者は、おっとりとした口調で、

「わたくしは河本敏夫に似ているといわれました」

とほほえみながらいった。「えっ」とびっくりしてロングヘアーの彼女の顔をじっと見ると、なるほど似てないことはない。一見美人の彼女の顔をじーっと見ていると、だんだん河本敏夫の顔になってくる。このミスマッチ感覚がたまらないわけである。

隣に座っていた二十五歳の女性編集者は少しむくれていった。

「あたしなんかずっと沖雅也っていわれてるんです。悪いけど彼が亡くなったときに、内心『もうこれでいわれないな』と思ったんですけど、やっぱりいわれ続けてます」

やっぱりよく似ていた。

そしてある日、島田紳助にそっくりな弟を持った彼女が、体格のいい学生時代の友人の女の子をつれてきた。

「もう彼女はそっくりの極めつけです」

よーく顔を見ると、彼女は野球選手のホーナーそっくりだった。

「ホーナーに似てるっていわれて嬉しくて、彼と同じ眼鏡を買ってかけてます」

ファンでもないのに、ただ有名人に似ているというだけで嬉しいらしい。もし私がホーナーに似ていたら、なるべく彼に似ないようにするだろう。同じ眼鏡を買うなんて言語道断である。しかし彼女は初対面の人にも平気で、

「ハロー。ホーナーです」などといってしまう。両親の責任でホーナーに似てしまったのに、これだけ喜んでいるのなら、御両親もほっと胸をなでおろしていることだろう。

仕事の上でも相手にすぐ名前を覚えてもらえて、とっても役に立っているそうである。たまに彼女の本名を忘れて「ホーナーちゃん」と呼ぶ人もいるそうだが、それでも彼女は「はあい」と元気に返事をして仕事に励んでいる。私はミッキー吉野といわれた高校の三年間をできるなら消し去りたいと思っている。やはりあれは屈辱的なことだった。しかし彼女はそれを逆手にとっている。それも仕事の役に立つと喜んでいるのだ。なるべくミッキー吉野に見えないように苦心していた私と、何という違いだろう。私は卑屈だった当時を思い出して、

「なかなか今の子はしぶとい」と感心してしまったのであった。

デブは嫌だしガンも嫌。悩みは尽きぬ、ひとり暮らしの食生活

　こんなことをいっても全く自慢にも何にもならないのだが、私は家事が非常に苦手である。掃除機は一日おきにかけるが、本棚のほこりなどは目についたところしか取らない。背伸びしないと見えないところはすべて無視する。私は身長が百五十三センチしかないから、天井に届く棚のほぼ半分は、ほこりにまみれていることになる。私は目につかないから全く気にならないのだが、背の高い友だちが来ると、

「ここにほこりが溜《たま》っているよ」

と指摘されていつも恥をかく。

　洗いものは結構何でも好きである。洗濯は洗剤をいれてほうっておけば、特売で買った二槽式洗濯機がやってくれるので、私がとりたててやることはない。皿洗いは家事の

なかでも一番好きだ。いくらやっても飽きることがない。よく料理を作るのは好きでも跡片づけは嫌いという人がいるが私はその反対で、いくらでもお皿は洗うから、そういう人は毎日料理をしに来てほしいと思ってしまうのである。

ひとり暮らしをして九年になるが、料理は進歩する気配が全くない。それどころかますます手抜きが目立ってきて惨憺《さんたん》たるものである。当初は、ひとりで暮らせばいままでやらなかった料理もきちんとするだろうと自分自身に期待し、鍋、釜、包丁、まな板などを買い揃《そろ》え、料理の本もしこたま買い込んでこれから頑張ろうとした。しかしそれは見事にムダになった。九年間やってみてどうしても好きになれないことがわかったのだ。

今では買い込んだ鍋、釜もその半分くらいしか使うことがなく、ほとんどは棚に入れられたままである。そのうえ包丁、まな板を使うのも面倒くさくなって、このごろは料理用はさみで切れるものはどんどん切っている。無器用な外国人方式である。あのおっかない料理人の結城貢先生にみつかったら、私などどなられる前に首を絞められるだろうと思うくらいに手を抜いている。別に板前さんではないのだから、包丁さばきなんてどうでもいいと割り切るようになってしまったのだ。

味をみるのもすべて適当だから、その日によって出来、不出来の差が激しい。まずくても捨てるなどというもったいないことはしないので、

「ちくしょう。まずいなあ」

と、ブツブツいいながら食べる。

「誰がこんなもん作ったんだよ」

と、自分で自分に怒りながら食べているのである。たまにどうしてまずかったのか反省すればいいのに、と自分でも思うのだが、失敗を次の機会に生かして精進しようという料理に対する熱意がないので、いつまでたっても上達しないのだ。

この間も自己流でキノコと豆腐を煮た。味見をしたらどうも間が抜けている。あまり醤油をどんどん入れるのも問題があるし、どうしたらいいのかと冷蔵庫の中をひっかき回していたら、その日が賞味期限のからし明太子が出てきた。

「在庫整理もしなければいけないし、これには味もついてるからいいや」

と私はその豆腐とキノコのなかに、からし明太子をひと腹、切らずにそのままポンと入れてぐつぐつ煮てしまった。間が抜けた味はからし明太子のおかげで何とかなったが、それ以来、何となく腹の調子が悪いので困っている。

基本的に料理が好きじゃないので、作るおかずも限られてくる。非常にサイクルの短いローテーションで同じおかずがくり返されるのである。ところがガンにならない十か条というのを見たら、そのなかに同じ物をくりかえし食べないで、食生活に変化をもたせる、ということが書いてあった。これはえらいことだとあわてた。家族が何人もいて毎食「和」「洋」「中」と変化をつけられればいいが、一人の場合そのために材料を買っても消費し切れないので、調理法は違えど同じ材料が食卓に並ぶことになる。これだったらわざわざ無理して作らなくても、外食にしたほうがよっぽど充実した食生活が送れるような気がする。しかしそれでも外食にふみきれないのはなぜか。私は外食をすると見事に体重が増えるのである。自炊の内容は貧しく、小学校高学年の家庭科の教科書に出てくるような、「ほうれんそうのお浸し」に「お味噌汁」といった粗食である。ところが外食になると、いろんなものが目の前に並んで豪華である。それにくらべたら私の食事など、カロリーが低くて自然ダイエットみたいなものなのだ。ガンも嫌だけどデブも嫌だ。食べることはとても大切で、ないがしろにできないことは充分わかっているが、毎日のこととなると本当に頭が痛い。それを飲めば満腹感もあり、必須栄養素もすべてとれる錠剤でも発明されないものかと、私は本気で期待しているのである。

友人の妻を便利屋とも思う男の情けなさ
休日に夫の友人の世話をする人妻哀れ

七年前に結婚した私の友人には、頭の痛い問題が二つあった。結婚当時から彼女は姑との対立で日々悶々《もんもん》としていた。同居してはいないのだが、あれこれ口を挟まれて閉口していたのだ。ところがこの件に関しては、最近和解が成立した。手を取りあって、

「これからは心を改めて、お互いを思いやりましょうね」

というわけではなく、

「いがみ合ってもしょうがないから、あきらめたほうが精神衛生上いい」

と悟っただけであるが。嫁の立場である彼女は、以前は姑の悪口ばっかりいっていたが、最近では、

「これでもお母さんもかわいいことといったりするのよ」

というようになった。三カ月に一度くらいの割で、お母さんが、

「いろいろと悪いねえ」

などといたわってくれるそうなのだ。一時はいがみ合っていたといえ、そういわれると彼女だって、何となく優しい気持ちになってくるのである。

「あの頑固なお母さんだって、気を使ってくれるようになったのよ。それなのにあいつらったら……」

そういって彼女はキーッとヒステリーを起こす。このあいつらというのは第二の問題である、旦那の友人のことである。

「あいつらって本当に進歩がないの」

と本当に憎たらしそうである。

彼女は真面目な性格なので、旦那が友だちをつれて来たらどんなに疲れていてもちゃんと御飯を作ってあげたり、晩酌の面倒を見たりしている。ところが彼らにとってそれがとってもうれしかったのか、それから会社の帰りだけではなく、土曜日や日曜日にまで呼びもしないのにやって来る。彼女だって旦那が休みの日くらい二人でのんびりしたいのに、昼御飯を食べ終わってほっとしていると、突然玄関から、

「こんにちはあ」

という悪魔の声が聴こえてくるのである。一人が来るとあとは泥沼で、マージャンを

やろうなどととんでもないことをいい出し、いつもの飲んだくれメンバーが集まって、ジャラジャラやり始める。まさかそういうときに外に出かけるわけにもいかず、彼女は自分の予定を変更して、休みの日をマージャン男たちの世話でつぶしてしまうのである。

中には奥さんがお産で実家に帰っているのをいいことに、土曜日の午後にやって来て晩御飯を食べさせてくれという男もいた。いったいいつ帰るのかしらと思っていても、結局は一晩泊まって日曜日の昼頃起きてきて、三食ちゃんと食べて風呂にもはいって、深夜に帰っていったというふとどき者だった。他人の女房も自分の女房も区別がつかない大馬鹿者である。そういうときは部屋のカーテンを開けて起こす時に、布団の中でのうのうと寝ているそいつの足を、思いっきりふんづけてやるそうである。そのくらいしなければ彼女の怒りもおさまるまい。

彼らは、

「奥さんいつもすみませんねえ」

といいながらやって来る。しかし彼女は、

「あいつらは口ではそういうことをいいながら、手土産ひとつ持ってきたことがない」

と怒る。

「友だちがかっこいいとか、性格がかわいいんなら私だって許すわよ。ところがみんな気がきかないのばっかり。うちの旦那が一番性格が良くてかっこいいの」

という。旦那がひどくても、その友だちがかっこよければ喜んでお迎えするが、旦那がかっこよくて友だちがひどくて図々しいんだったら、こんなに迷惑なことはない。

彼女は少年隊のヒガシ君みたいな人に来て欲しいのだが、やって来るのはたけし軍団のそのまんま東や松尾伴内みたいなのばっかり。そんな男たちの世話をしなければならないのは気の毒としかいいようがない。独身ならともかく、和むのなら自分の家で和んでほしいと、意を決して旦那からいってもらおうとしたが、彼だって友だちのことをあれこれいわれるのは嫌だろうなあと思うと、何もいえなくなってしまったのだ。私が、

「そんな鈍感な奴らはいつまでたっても気が付かないんだから、はっきりいってやったほうがいいんじゃないの」

といっても、人のいい彼女は「うーん」というだけである。だからいまでも彼女は図々しい飲んだくれどもの世話をさせられている。結婚すると親兄弟だけじゃなくて、旦那の友だちにまで気を使わなくちゃならないなんて、何て気の毒なことなのだろうか。また平気で人の妻に世話をさせる、幼稚な男どもにも腹が立ってくるのである。

薬九層倍とはよくもいったり。人の弱みにつけこんで、暴利をむさぼる漢方薬局

この夏、目の調子が相当に悪くて落ち込んだ日々が続いた。ものすごく疲れるし出歩くと涙がボロボロでてくる。朝起きて鏡を見ると、明らかに目がどんよりしているし、冷たいタオルを目に当てると体中がグンニャリしそうなくらい気持ちがいい。今までこんなことがなかったので、私はもしかしたらこれはヘタをするとまずいことになるかもしれない、と真剣に考えていた。いちばん具合の悪いとき、原稿を渡すために会った顔なじみの編集者に、

「目の調子が悪くて」

と話すと、

「そういえば白内障や網膜剝離《はくり》の手術ってすごいんですよねえ」

などととんでもないことをいいだした。それでも私は、

「まるでホラー映画みたいなのね」

と表面的には冷静を装いながら、ひょっとして自分も……と考えてしまって、ますます落ち込んでしまったのだった。

早く病院に行こうと思っても、手術が必要な病名を宣告されるのではないかとビビって恐ろしくて行けない。

「千葉敦子さんだって病気に堂々と立ち向かったんだ」

と勇気を奮《ふる》い起こして医者にいった。私がため息まじりに、

「とてもつらいんです」

と訴えても、医者は、

「あっそ。ちょっと診《み》るね」

ととてもノリが軽い。心臓をドキドキさせながら結果を聞くと、

「眼圧も正常だし病気でも何でもないけど、あなたみたいに遠視と近視性の乱視があると、ものすごく疲れやすいんだよ。これは生まれつきだから治らないね」

とあっさりいわれてしまった。仕事は昼間だけ。ワープロを使うのだったら二時間打って三十分休んでまた二時間やるだけ。それ以上はダメ。夜打つなんてもってのほかといい渡されてしまったのである。

病気じゃないのはホッとしたが、治らないのもちょっと問題である。私はそれから少しでも目が疲れないように、食べ物を考えようといろいろと本を読んだ。そして漢方関係ならいいのではないかと、漢方薬局にいって目にいい枸杞子《くこし》を買い求めた。そこですすめられたのが「杞菊地黄丸《こきくじおうがん》」という薬である。売り場のおねえさんがサイコロ・キャラメルと同じくらいの大きさの箱を見せてくれた。中から出てきたのは直径三センチくらいの蠟《ろう》でできた玉である。

「一日一個。これを二つに割って中にある薬を水で飲んで下さい」

という。値段は一個三百五十円である。私はしばし考えたが、背に腹はかえられないので、とりあえず十個入りの大箱を買ってきた。家に帰って玉を割ってみると、中から油紙に包まれた丸薬がでてきた。色が真っ黒でちょっと柔らかい。まるで「わくわく動物ランド」で見た、ふんころがしが必死にコロコロ転がして歩いている動物のフンにそっくりなのだ。あまりに大胆な形状にちょっと不審感は抱きながらも、いわれたとおりに飲むしかない。指先でちょっと力をいれるとブニャッとつぶれる。それをひきちぎって口の中にいれるのだ。

「すさまじい薬だなあ」

とびくびくしながら嚙んでみると、思ったよりも味は悪くなく、ちょっと薬っぽい堅めのガムといった感触である。確かにそれを食べると目の疲れが違うような気がする。

朝、起きたときが一番、目の状態が悪いのだが、これを飲んでいるととても楽だ。しかし薬を飲み続けていると一日三百五十円がパッパと消えていく。なかなか金がかかるもんだと頭をかかえていたところ、友だちが漢方の地元に旅行にいくというので、これ幸いと頼んで買ってきてもらうことにした。

十日後、私のもとに薬の大箱、二十箱が届けられた。ところが値段を聞いてびっくりした。何と地元では十個入りの大箱が三百五十円だった。つまりこちらでは十倍の値段で売られていたのである。三倍、四倍という値段だったら我慢もしよう。だけど十倍はあんまりではないだろうか。それに地元でその程度の値段で売っているということはそれでも儲けがあるということである。これを知って私はすぐさま地元にいって、スーツケースに山ほど買い占め、漢方薬局の隣に露店を出して売りたくなった。どこをどうやれば十倍の値段がつくのかわけがわからない。人の弱みにつけこんで暴利をむさぼっているような気もしてくる。私は動物のフン状の薬をつまみながら、手元の在庫がなくなったら香港に年に一回買い出しに行こうと本気で考えているのである。

「どうして男って結婚したがるのかしら」娘にきいてどうする、独り身の母よ

私の母親は相当に変な奴である。ふつう、娘の友だちとは娘が同席しているとき以外、話をする機会はないものだが、我が母の場合は私を抜きにして、勝手に友だちのところに電話をかけたり、家に遊びにいっちゃったりする。娘の友だちは自分の友だちだと思っているのである。

さぞかし私の友だちも迷惑だろうと気を揉《も》んでいたのだが、彼女たちも母親のところに電話をかけてくるところをみると、結構うまくいっているみたいだ。このように誰とでも仲良くなってしまう性格は、同性の場合は問題はないが、相手が異性になるといろいろとトラブルを起こすのである。

母親は十五年前に離婚してから独り身なので、私としては奥さんがいる人じゃなけれ

ば、誰とお付き合いをしてもかまわないと思っている。現に彼女は今まで三人の男性と恋愛関係にあった。男がいるときといないときとでは、化粧、服装に気合いのいれかたが違うので、隠していてもすぐわかるのだ。どの人も人は悪くなさそうだったが、奥さんに先立たれて成人前の子供を抱えていた。なかにはとても熱心な人がいて、将を射んと欲すれば先《ま》ず馬を射よというつもりなのか、私が引っ越すという話を聞きつけて、頼みもしないのに前日、軍手、ビニール袋、ひも持参でやってきて度胆を抜かれたこともあった。

「ねえねえ、あの人どうだった？」

彼らと引き合わせたあと、いつも母親は私に聞いた。そのたびに私は、「神経質」「しつこそう」「借金がある奴はダメ」と感想を述べた。

「そうなのよね。どれもいまひとつなのよ」

母親は妙にクールだった。話をよく聞いてみると、どの人も子供を育てるのがしんどいので、自分の妻ではなく子供の母親を捜しているようだった。離婚した直後、母親は、

「このままで済ますものか。これからひと花もふた花も咲かせてやる」

と、女としての希望を持ったのだから、彼女としても母親役では不本意なのに違いない。

「ねえ、男の人ってちょっと仲よくなるとどうしてすぐ結婚、結婚ってうるさいのかし

ら」

こういうことは娘が母親に問うものであるが、うちの場合はこのテの話題は母親が娘に聞くのが常である。

「それは自分で身の回りのことができないからじゃないの」

「ああそうか。どうしてみんな自由に恋愛を楽しまないのか、あたし不思議でたまんないの」

と、おかきをボリボリ食べながら文句をいう。そろそろ還暦というのにめちゃくちゃ元気で、おばさん、おじさんが大嫌い。私が近くに住んでいながら年に二、三回しか会わないようにしているのは、あまりにパワーがすさまじくて、ちょっとやそっとのエネルギーでは太刀打ちできないからだ。この人はきっと泉重千代よりも長生きするのではないかと、私は信じて疑わない。

どこへ行ったかK町の健気な郵便配達美青年。も一度帰れ我が胸へ

私が、K町に住むようになって、六年目になる。若い女の子たちには、羨《うらや》ましがられることが多いが、休みの日のただならぬ込み具合を見ると、もっと静かな場所に住みたい、と思うこともしばしばである。しかし、きちんとした勤め人じゃなくても、近所の奥さん連中から、

「あの人、いったい何してんのかしらね」

という、疑惑の目つきで見られないところと、どこへ行くにも交通の便がいいから、ここを離れられないでいる。というのは、表向きの理由である。ここを離れ難い一番の理由は、郵便配達の男の子が、みんな異常なくらいハンサムだからである。

こういう仕事をしていると、普通の家庭よりも、小包、速達などの郵便物が多く、毎

日彼らの手を煩《わずら》わせることになる。ここに引っ越してきて、一番最初にブーッと玄関のブザーが鳴り、印鑑片手にドアを開けたときの衝撃といったらなかった。ドアのむこうに立っていたのは、背が高くて目元涼しい、清潔を絵に描いたような美青年であった。私はボーッとして印鑑を渡し、郵便物を受け取った。そしてしばらくは、

「あんな美青年が郵便配達をしている」

と、口を開けたまま呆然としていたのである。あれほどの美貌なら、メンズノンノみたいな、男性ファッション雑誌のモデルにだってなれるであろうに、地味で大変な仕事をしている。派手な世界に目もくれず、自分の美貌に驕《おご》ることなく、雨の日も風の日も、黙々と仕事に励んでいる、その態度がまたいいではないか。

それからは外に出ると、郵便配達のお兄ちゃんを、目で追ってしまうようになった。そこで気がついたのだが、この地区の郵便配達のお兄ちゃんたちの美貌度が、（若年層に限って）あまりに高いのにビックリした。採用試験のときに、顔のいいほうから選んだのではないか、と思うくらい充実している。スポーツマンタイプあり、お洒落なヘアースタイルの、マハラジャの常連風の青年あり、ブルーの制服を腕まくりして、額に汗して一生懸命、赤い自転車をこいでいる姿を見ると、あまりの健気《けなげ》さに、胸がキュンキュンしてくるのである。

彼らは仕事とはいえ、嫌な顔ひとつせず、束になった荷物を抱えてきてくれる。その

うえ、ドアを開けたとたんに大きな声で、

「こんにちは」

と、ニッコリ笑って、挨拶までしてくれるのである。目元の涼しい青年に、きちんと挨拶される喜びは、何物にも代え難い。ここで色気を出して、

「ちょっと、あなた、お名前は？」

と聞ければ良いのだが、私は罵詈雑言《ばりぞうごん》は、次から次へと山のように出てくるけれど、このテの会話はひどく苦手なのである。残念ながら、掲載誌や贈呈本の束を胸に抱え、

「いつもご苦労さまです」

といって、玄関先で最敬礼するしかない。突然「軍人さんよ、ありがとう」の世界になってしまうのである。

「また明日も、郵便が山ほど来ますように」

と、私は心ひそかに、胸ときめかせていたのだ。

そして、ついこの間も、ブーッとブザーが鳴った。

「わっ、きたきた」

と、喜んでドアを開けたら、そこには、どよーんと重苦しい雰囲気を漂わせた、おっさんが立っていた。あれっと思って突っ立っていたら、彼はひとこと、ぶっきらぼうに、

「はんこ！」

といっただけ。そして、手短に用を済ますと、けだるそうに足を引きずって帰っていった。

「若様たちは、病気なのかしら」

と心配したが、どうやら配置転換があったらしく、それから私のところに来るのは、くたびれたおっさんばっかりである。普通のおじさんだったら文句は言わない。だけど彼らの態度には、首をかしげる。まず、言葉をフレーズでしゃべらずに、すべて単語で済まそうとする。なるべくエネルギーは使うまいとしているようである。なかには、用事をしていて、出ていくのが遅くなると、耳もつんざけとばかりに、ヒステリックにブザーを押し続け、ネチネチ文句を言うのもいる。猫背になって深くタメ息をつくのもいる。仕事をするのが、本当に嫌そうである。

白髪まじりのいい齢のおっさんが、露骨に疲れを漂わせていると、よけいにみっともないだけである。あの健気な青年たちの姿を、少しは見習ってほしい。そんなに仕事が嫌なら、とっとと辞めてしまえ、といいたくなる。

私は、ちかぢかもう一度配置転換があり、あの夢のような日々が蘇るようにと、心の底から願っている。

昔エジソンバンド、今六十円のパンスト
私を惑わせる通信販売の妖しい魅力

私は物を収集するとか何かに熱中するとかいうことがほとんどないのだが、最近、

「このままのめり込むとドツボにはまりそうだな」

と怯えていることがある。それは通信販売である。どうしてこんなに興味を持ってしまったのかを考えてみると、その徴候は子供のころからあったようである。小学生のときに買っていた少年マガジンや少年サンデーの通販の広告ページはいつも同じものしか載っていないのに、妙に子供心をそそられた。私の場合は胸板が厚くなるブルワーカーとか、何でも透けてみえる透け透け眼鏡は必要なかったが、頭のよくなるエジソンバンドだけは欲しかった。ついでに不思議な生き物シーモンキーにも心が動いていた。ところが小遣いをもらっている身なので、通信販売で物を買うというと、親は、

「こんなものを買ったら騙《だま》されるに決まってるじゃないの」

といって絶対に注文するのを許してくれなかった。お金をためて買うといってもだめ。自分の手にとって品物を確かめられないものは、みんないかがわしいといった。

「そんなに子供を騙すものが、どうして漫画の本に載っているのだろうか」

と不思議な気がしたが、親の猛反対にあって、子供のころは通信販売で物を買ったことはなかったのである。

それから時はすぎ、学校を卒業して自分でお金を稼ぐようになると、通信販売で大いばりで何でも買える立場になった。南極Z号を買おうが、郵便局止めの恥かしい写真を買おうが、誰にも文句をいわれない。しかし当時もまだ通信販売には、ずっと飽きずに使えるような商品は少なかった。友だちの家に遊びにいって、通信販売で買ったぶら下がり健康器が部屋の隅に置かれて、室内もの干しと化しているのを目撃したのも一度や二度ではない。ところがこのごろは違う。大手のデパートが通信販売をしているので、家にいながらそれなりのいい買物ができる。不精者の私にはぴったりなのだ。

いちばん最初に通信販売で買ったのは、あおむけになって背骨の両脇をグリグリする指圧器である。最初は疑い半分だったのだが、広告に偽りはないうえ異常に気持ちがいい。猫みたいにあおむけになってゴロゴロいいながら愛用している。これで味をしめてしまったので、通信販売のカタログを見ていると、あれもこれも欲しくなってしまう。

雑誌だと一度読んでしまったら読み返すことなどまずないのに、通信販売のカタログだと二、三日楽しめるのである。まず通信販売で物を買う場合、カタログの中で欲しいもの、便利そうなものに片っ端からマルをつけていく。そしてその日はそれだけにしておく。このまま注文するとお金を払う段になって後悔するのが目に見えているからである。次の日、心を落ち着けて、昨日マルをつけたものが本当に必要か点検する。すると、おそろしいことにそのうちの九割がいらないものなのだ。取捨選択に勝ち残った商品もすぐ注文しない。その翌日になってもまだ欲しいものを注文するのである。

このような面倒臭い手順をふんだ結果、籐《とう》のカーペットや折りたたみ式の椅子が私の部屋に運ばれてきた。ところが、だんだん通信販売が私の生活を侵蝕《しんしょく》してきて、下着の通販にまで目がいってしまうようになった。といっても、真っ赤なレースでやたらに面積が小さくて穴が開いているといったものではなく、ふつうの下着である。主婦の友だちが、

「安くていい」

というのでカタログを見せてもらったら、パンティストッキングが六十円、パンツが百六十円という安さである。思わず興奮してしまったが、パンツくらいは自分の手で確かめて買おうと注文せずに耐えることにした。

あまりに通信販売の商品が気にいると、首をかしげたくなるような商品も、すべて謳《うた》

い文句のとおりじゃないかと錯覚してしまうことがある。小学生のころと同じである。塗るだけでやせるクリームとか顔が小さくなる顔ガードルという、こっそり使ってきれいになる類《たぐ》いのものである。芸能人御愛用の美容ローラーも、

「肌はともかく、顔がああなると困るわね」

と思いながらも気になる。何度も何度も広告を見せられると、心は揺れ動くのである。しかしコンプレックス関係の商品に手を出したら、あとはドツボにはまるだけだと思っている。とにかく自分の弱点をつく商品ばかりだから、次から次へと手を出してしまって、収拾がつかなくなるような気がする。もしかしたら私がいちばん欲しがっているのは、こういう商品なのかもしれないが、ぐっと購買欲を抑えて自粛しているのである。

つるつるの手足はもてるの幻想に通販の脱毛マシンに群がる男たち

会社の経営状態が苦しくなってくると、まっさきに削られるのが広告費であるらしい。そういえば新聞を見ていても、最近は雑誌の広告が以前よりも少なくなってきたような気がする。その反面、こんなにもうかっているのかと疑いたくなるほど目につく広告もある。新聞、雑誌はもとより、テレビでもCMが流されている、通販会社のものである。

最初は二光通販くらいしかなかったが、次から次へと同業者が登場するようになった。扱う商品は、締めつけているだけで顔が小さくなるという、「おこそ頭巾」みたいな顔面バンド。塗るだけでおっぱいが大きくなる「魔法のクリーム」。名前だけ聞いてすぐ欲しくなってしまう、あったかーい「もちはだ肌着」など、本当にこの能書きを信用していいのかしらと思うものが多い。私は広告を目にしても、

「こんなもの買う人がいるんだろうか」

と、半分バカにしていたのである。

ところが、私の友だちが通販で買物をしてしまった。それを電話で告白されたとき、本当にびっくりした。彼女ははた目からみて、取り立ててそういうものを利用する必要が感じられなかったからである。それはおっぱいが大きくなるというクリームでも、着るだけでやせるという風船みたいな服でもなかった。彼女が買ったのは毛を抜くための、棒状をした器具であった。

「これははた目ではわからない」

と、私は彼女に同情した。きっと第二次性徴期から、人にいえない悩みをかかえて生きてきたのであろう。こんなことはいくらなんでも友だちにだって相談できない。私に、

「あれ、買ったのよ」

と話すことすら、恥かしかったにちがいない。私はこういう問題は、さりげなく対処したほうがいいと思い、

「あっそう。うまく抜けたら教えてね」

といって電話を切った。私が知っている限り、彼女の手足は気にするほど毛深くなかった。それではいったいどこの毛を取るのかと想像したくなったがやめておいた。

何日かして、また彼女から電話がかかってきた。

「あれの具合はどう？」

そうきいてみたら、彼女はものすごく怒っている。

「あんなもん、返品してやったわよ」

温厚な彼女がこんなに怒るのだから、よほど腹が立ったのであろう。話によるとその毛を抜く器具は、簡単に毛が抜けるかのように書いてあったが、実はそうではなかった。器具の先に細い針金がついていて、毛を抜く際にその針金を毛穴に突っ込み、ボディーについているスイッチを押す。すると電気がビビビと流れ毛根を焼き切るという、拷問みたいな代物だったのである。

「最初、すね毛で試してみたの。あなた、足にどれだけの毛がはえていると思う？　その毛穴に一回ずつ針を突っ込んで電気を流すなんてものすごい手間だし、第一、痛くて痛くて我慢できないの。毛は焼き切れるんだけど、抜けたあとがプツンと水ぶくれになっちゃうし、私が一番抜きたいところに、こんなもん使えないわよ！」

足の皮膚は風に吹きさらされたりして、鈍感な部分だろうが、そこでそんなに痛いんだったら、他の部分だったら彼女はとっくに失神しているのではないか。まっさきに真の目的である部分に使わなくて本当に良かった。棒状でスイッチのついたものを握り締めて失神しているのを目撃されたら、どんな疑いをかけられるかわかったものではない。で、昨日送られてきた雑誌を見ていたら、棒状ではなくて毛をはさむスタイルの、もっと垢ぬけたデザインの脱毛器具の広告が出ていた。ところが「いつも肌に太陽を　心まで豊かにする脱毛マシン」というキャッチ・フレーズで紹介されているその器具は、何と男性用なのであった。男の化粧がはやっている昨今、通販業界はきょうびの若い男の子は女性化しているとにらんだらしく、男の毛まで抜かせようとしている。

男はそのまんまバサバサと毛をはやしておればよいのである。毛深いと女にもてないという文句にだまされて、せっせと毛を抜いているやからにはバチがあたって、中年になったときに地肌にとどまっていてほしい頭髪まで、自発的に抜けてしまうに違いない。

私は期待もこめてこの商品は売れないであろうと思っているのだが、何に興味を示すかわからない若い男たちのことである。彼らが脱毛の効果を誇って、つるつるの手をタンクトップから出し、つるつるの足に短パンをはいて、街を闊歩《かっぽ》するのをみても驚かないように、今から心の準備だけはしておこうと思ったのであった。

髪は伸び放題、爪は真っ黒、ゴキブリと呼ばれた欠食学生、今いずこ?

私の大学時代、同じゼミにゴキブリというアダ名の男子学生がいた。夏だろうが冬だろうが一年中詰襟《つめえり》の学生服を着ていて、それがテカテカ光っていたからであった。冬でもハダシに下駄、靴をはいた姿など見たことがなかった。もちろん風呂に入るわけもなく、ゴキブリが歩いてくるとどこからともなくプーンと異臭が漂い、特に夏場などは彼の周囲三メートルには人が近づかないとすらいわれていたのである。髪の毛は少しずつ束になって固まった状態で伸び放題、手の爪は真っ黒、学生たちのおもちゃになっていた裏庭の池のアヒルたちでさえ、ゴキブリが通ると池からとび出してきてガアガア鳴きながらふくらはぎをつっついて追っかけまわす始末だった。ゼミの担当教授もゴキブリが出席すると女子学生の出席率が低下するというので、自腹を切って風呂代や床屋代を出してやったりもしていたのである。

ある夏の日、一番前で授業を受けていたゴキブリが突然ひっくりかえった。私たちはびっくりして遠まきにして床にころがっているゴキブリの姿を見ていた。彼は、

「うーん、うーん」

とただうめくだけだった。教授もびっくりしてかけ寄り、彼の体を人差し指でつっつきながら、

「キミ、キミ、どうしたんだ、オイ」

と声をかけた。

「オレ……ここんとこ……何も喰ってないんです……」

とゴキブリはとぎれとぎれに言った。教授は急にムッとして、

「なにィ、メシを喰ってないィ。全くしようがないヤツだなあ。おい、そこのキミ、裏のパン屋に行って何か買ってきてやりなさい」

と指示したあと、教壇の前で憮然《ぶぜん》とした顔で腕組みしていた。女の子がパンと牛乳を買ってくると、ゴキブリは、

「うーん」

とうなりながらも手はしっかりと差し出されたパンの包みをつかんでいた。パンを文字どおりむさぼり喰っている彼の姿を見て、私は子供のころ「世界のふしぎ」という本

で読んだ、〝狼に育てられた少年〟を思い出した。親はどういう人なのだろうかと思った。噂によると彼は継母と仲が悪く、高校卒業と同時に兄をたよって東京に出てきたが、お兄さんが結婚することになって一緒に住んでいたアパートを追い出され、学費は肉体労働をして貯《た》めたなかから払っていたらしいが、生来の体力とヤル気のなさが災いしてすぐクビになってしまったというのである。

　私たちがお弁当を持ってきて、空いている教室でワイワイいいながら食べていると、じーっとドアのすきまから目だけ出してのぞいたりもしていた。食べ物のニオイをかぎつけコソコソッとやってくるのもまさしくゴキブリそのものだった。私たちは内心不愉快に思いながらも卵焼き、ハンバーグ、じゃがいもの煮たのなどを少しずつ供出しあってゴキブリにあげた。彼は、

「ありがとう、ありがとう。うまいなあ」

と何度も何度も礼をいってあっという間にたいらげ、またフラッとどこかへ行ってしまった。それ以来私たちがお弁当を食べているとどこからともなくやってきてはまわりをウロウロするようになった。食べ物に関しての嗅覚は天才的だった。

「いったいどういう生活してるんだろうね」

と私たちは話した。

　後期授業がはじまっても彼は姿を見せなかった。一週間たっても来なかった。私たち

の頭の中には「餓死」とか「ミイラ化」とか「孤独な死」「都会の無情」という言葉が浮かんできて急に心配になり、学生課でゴキブリの住所をきいて食料を買いこみ、男女とりまぜ五、六人でアパートをたずねた。途中、部屋の中がどういう状況になっていようと決して取り乱してはならじとお互い約束しあった。

そこはアパートというよりも物置きに近い建物だった。長い廊下の両側に、戸がズラッと並んでいた。慰問隊長の男の子が戸の前で、

「イワタぁ、いるか」

と声をかけた。私はそれでゴキブリ＝イワタイサムということを思い出したのである。恐る恐る戸をガラガラと開けると靴を脱ぐところもなく、ただタタミが三枚あるだけといった感じの部屋いっぱいに綿がところどころボロッととび出ている布団が敷かれていた。ずいぶん厚い布団だなあと思ったら、本が何段にも散乱した上に布団が敷かれていたのでそう見えただけだった。おまけに、昔八百屋さんが小銭をザルに入れて天井からゴムでブラ下げていたように、トランジスタラジオ、洗面器、ナベ、菜箸、包丁、まな板まで桟から白いゴムでブラ下げられ、壁にそってボヨンボヨンとゆれていた。私たちの顔を見てゴキブリは、

「せまいから……。ほらこうやって」

とビローンと包丁とまな板に結びつけてあるゴムをのばして布団の上でカタカタと物

を切る真似をした。そのままパッと手を離すと包丁とまな板はサッともとの位置まで戻り、壁にそって空間でゆれているというインテリア雑誌には載っていない新しい収納法を編み出していた。

「こうしないと寝るところがなくなっちゃうんだよ」

とゴキブリは弱々しく笑った。

二、三日たってまたプーンと臭いをふりまきながらゴキブリはやってきた。私たちの姿を見るとやたらに、

「ありがとう、ありがとう」

を連発した。ありがとうといいながらも生活態度は全く変わらず、お弁当を食べている私たちのそばに寄ってきてはウロウロとしていた。ゴキブリのありがとうをきくたびに私たちは何か催促されているような気がして、仕方がなかった。

その後、ゴキブリは二階の教室の窓からとび降りたら一万円という話にのり、衆目のなかそれを決行したが両足を骨折してしまった。相手が青い顔で一万円札を渡すと、ゴキブリはうずくまったままニッコリ笑い、

「ありがとう」

と言ってお札をしっかと握りしめたまま担架で病院に運ばれていった。それからのゴキブリのゆくえは誰も知らない。

太平の眠りを覚ます「早くしなさい！」子供よりやかましい母親たちの金切り声

先月、私は普段とは全く違ってやたらと早起きになっていた。毎日毎日近所のものすごい騒ぎで目が覚めてしまう。きっかり朝七時に隣のアパートから、ギャーギャーと子供がわめく声と、

「いったい何してんのよ、あんたたちは！　どうしておかあさんのいうことがきけないのよ、まったく！」

という金切り声の大合唱がきこえてくるからである。ジリジリリーンという目ざまし時計のベルの音よりは、はるかに効果的ではある。最初は何でこんなに騒がしいのかわからなかったが、よく考えると巷《ちまた》では小学校が夏休みに入っていたのだった。会社に行っている平日はまだしも、休みの日など部屋の中にずっといると、四六時中この母親と子

供の絶叫大合唱をきかされるハメになるのである。

私は正直いって子供を育てるのには、あんなに一日中ギャンギャンギャンギャンわめかなければならないのかと驚き、ヒステリックな金切り声がマシンガンのように続けざまに耳に入ってくると、まるで自分が怒られているようで、だんだん気が重くなってしまった。しかし一カ月近くこの絶叫大合唱をきかされると最初はギャッと驚いてもだんだん慣れてきて、

「ああ、またはじまった」

と心の余裕が生まれてきた。何の前ぶれもなく突如きこえてくる金切り声にはいまだにギョッとするが、よくよく聞いてみるとあんまりたいしたことはいってない。

「何してんの、はやくしなさい！」

「何度いったらわかるの！」

「どうしていうことがきけないの！」

これがベスト・スリー。このことばをあの金切りキンキン声でわめかれると恐ろしいほどの威圧感をもっているようだが、実はこれらのことばの単なるくりかえしなのである。現にその隣の家の子供は母親の絶叫がはじまっても全然おとなしくならずに、

「うるせー、ブタババア」

などと逆襲する始末なのである。それをきいて、また母親は、

「キーッ」

といって絶叫する。子供より母親のほうがずっとうるさい。自分の家にいるときぐらい昼間なんだから少しぐらいうるさくたっていいじゃないかとも思ったりする。そのくせ電車やバスに乗っていて子供がギャーギャーわめいても全然叱ろうともしない母親がいるのには驚く。

私は通勤のため地下鉄に乗っていた。三十歳近くなって再び体力がガクッと落ち、寸暇を惜しんで惰眠《だみん》をむさぼってしまうのである。そこへドヤドヤと幼稚園くらいの子供四、五人と母親の集団が乗りこんできた。今はやりのニューファミリーっぽく、母親も子供も小ざっぱりした格好をしている。が、彼らが電車の中の乗客では最悪なのである。まず子供たちが電車が揺れるたんびにキャーキャーわめく。こっちは座っているからちょうど耳が子供の顔あたりに位置してしまい、ギンギンと耳を刺激するのである。電車の揺れに慣れると今度は他の乗客がいるのもおかまいなし。車内を歓声をあげて端から端までドドドーッとかけまわる。だいたいこういうことをまっさきにするのは一番ギャンギャンわめいていた子供である。

「わー、揺れる、揺れるぞー」

といいながらバタバタとうるさく、かつ目ざわりなことこのうえない。それを見ていた残りの子供たちも、

「電車の中でそんなことしちゃいけないんだよー」

と口々にいったりしているが、キャッキャと楽しそうにしているのを見て、

「やめろー、やめろー」

と口ではいいつつも、乗客をかきわけかきわけ追っかけごっこをはじめる。そうなるともう車内は子供軍団の鬼ごっこ広場と化してしまうのである。

かたや母親集団はせまい車内に円陣を作り、

「岡田先生ってねえ、お絵かきのときに松田みどりちゃんのだけ特別に黒板の横に貼《は》ってほめたんですって」

「ええっ、またなの？　このあいだの父母会で問題になったのよね。そのことが」

「だって、みどりちゃんのおかあさん。いつもこう、ねえ、チャラチャラした格好して手みやげもって先生のところに行ってるみたいよ」

「んまあ、そう。知らなかったわあ」

「そうなのよ。ま、私はその現場を見たわけじゃないから、ね、はっきりいえないけど。あれはおかしいわよね」

「そうよ、そうよ。他の子はどうなるのよねえ、一生懸命描いたのに。いくら子供だからっていったって傷つくわよ」

「まったく、子供の教育を本当に考えてるのかしらね」

とそのうちの一人が発言すると、残りの母親たちは、そうだそうだとうなずくのである。子供の教育を心配するのも結構だが、今、現在この車内で走りまわっている子供たちの姿というのは一体何なのだ、と私は眠い目をしょぼしょぼさせながらボーッと車内を眺めていた。すると一人の中年男性がものすごい大声で、

「ばかもん！　ちょろちょろするんじゃない、遊び場じゃないんだぞ、ここは！」

と一喝した。私の隣に座っていたおばさんは急にニコニコして満足そうだった。怒鳴られた子供たちは小声でブツブツ、

「あーあ、おこられちゃった」

といいながら円陣の母親集団のもとに戻った。母親たちは、

「ほーらみなさい、おじさんに怒られたじゃないの」

といっただけで、またナントカ先生がどうした、奥さんシワがないわね、などとまたペチャクチャ話をはじめたのである。私は睡眠不足の半眼のまま、

「何か少しズレているんではないか」

などとボーッとした頭で考えたのであった。

社会的ルール欠如の主婦の群
ダンナの顔を見てみたい

私は四、五年前まで、主婦というのは立派な女でなければできないことだと思っていた。ダンナに朝食を食べさせて、掃除、洗濯。昼食は朝の残りものですませて、ホッと一息つくのも束《つか》の間、買物にいって夕食の準備。ダンナが帰ってきたら風呂をわかし、跡片付けをして、おまけにニャンニャンまでしてしまうのである。毎日食事の献立を考え、ダンナが夜遅くに友人をつれて帰ってきても、嫌な顔もせずにこやかに酒の肴《さかな》なんかを作って出さなければならない。これは完璧に私には不可能なことで、私はハナからこれはダメだとあきらめていた。ところが、だんだん、実はそうではないようだと気がつきはじめたわけである。

私が今住んでいる所は集合住宅で、ほとんどの住人が子持ち世帯である。私は昼間家で仕事をしているから、ダンナや子供を送り出したあと、主婦がどのようなことをやっているかを垣間《かいま》見てしまったのだ。ある日、部屋の正面にあるポストに、郵便物が届いていないかと出ていこうとしたら、外からカサカサと音がきこえる。そーっとドアスコープでのぞいてみたら、某家の主婦が自分の家のポストからオレンジ色の紙切れをとり出してしばし眺め、ゴソゴソやっていたかと思うと、それをポイッと私のポストの中に放り込んだ。そしてその主婦はバタバタと足音を響かせて去っていった。間違って郵便が入っていたのか、と思ってポストを開けてみると、そのオレンジ色の紙切れが山のように入っている。何だこりゃ、とよくよく見ると、そこには「淋しい独り暮らしの貴女に。夜のおともだち、テレフォン・SEXボーイ」などと書いてあるではないか。おまけにへったクソな目のパッチリした刈り上げ青年の絵が描いてあり、そいつが「TEL持ってるぜ」といっているのも情けない。「あの主婦め、自分に用がないと思って……クソッ」と怒りつつ裏を見ると、セロハンテープがビラビラしていて、何かを剝がした跡があった。しかし、ポストの中にたった一枚だけあったテレフォンSEXのお誘いカードの〝正しい姿〟を発見して、私はムカッと激怒してしまったのである。〝正しい姿〟の裏には、これで電話をかけろということだろうが、セロハンテープで十円玉が貼りつけてあった。ところが残りは全部十円玉だけ取られて、ポストの中に放り込まれ、ゴミ化していたのであった。例の主婦がゴソゴソやっていたのは、十円玉を剝がしていたのである。彼女のところのポストに放りこまれたものだから、十円玉を取ろうと取るまいと関係ないが、用済みの紙を人のところに簡単に投げこむな!! と首でもしめてやりたかった。

このようにことごとく、主婦というのは公衆道徳というか、公共の意識が欠けている。以前にも、友人のマンションに行ったときに、窓から子供が食べたお菓子のセロファンや包み紙をポイポイ捨てているのを目撃したことがあるが、親があんなことをしているんだから、世の中にろくでもない子供が増えるのも、当たり前である。彼女たちは男もつかまえ、子供も産んでるから恐いものが何もない。恥かしいという感覚が欠如している。夕方近くになると、隣家の主婦がベランダに出て、周囲一キロメートルに聞こえるのではないかというとてつもない大声で「○○さあーん」と叫ぶ。すると、頭上から「なあにー」という大声。これがはじまると、私はあまりのうるささに一旦《いったん》原稿書きを中止することにしている。話があるなら部屋まで行けばいいのに四階と二階の端と端で、ベランダに寄りかかり、大声で世間話をしているのである。「そんな無精をして動かないから、三段腹の大デブになるのだ!!」と私はブツブツいいながら、世間話が終わるのをじーっと待っている。子供のことから始まって下らない芸能人の噂話、それが終わるとデパートのバーゲン情報、そして最後に「たけのこ煮るんだけど、おしょうゆが足りないから貸してー」という雄叫《おたけ》びで、延々二時間の世間話は終わる。そのくせ子供が外から部屋の中にいる彼女たちにむかって、「おかあさーん」と呼ぶと、「うるさい！　話があるならきちんとおうちの中に入ってきなさい」と怒るのである。そのたんびに私は「ケッケッケ」といって主婦をバカにする。昔は「親の顔が見たい」だったが、今は「ダンナの顔が見たい」ということが多すぎるのである。

まあ彼女たちはそれなりに子供を苦労して育て、日々の家事をこなしているのであろう。社会的なルールが欠如していようが、恥の感覚が消滅していようが、家庭内のことさえきちんとやっていれば、それでいいとされる。だけど、それだけに寄りかかっている主婦が何と多いことか。外に出て働くということではなくて、もうちょっと社会的にマシな感覚を持ってもらいたいと思うが、どうせあいつらには言ってもわからんだろうね。

店頭に並ぶおばさんの鉄壁の臀部
カゴをのぞかれ、買物はラクじゃない

今から八年くらい前、私は失業していた。もちろん無収入になってしまったために家に入れるお金がない。すると我が母は一言、

「金がないなら体で払え」

と時代劇に出てくる女郎屋のオヤジみたいなことを言うのであった。それからは朝七時半におきて朝御飯を作り、そのあと掃除、洗濯、昼御飯をたべてテレビをみてからしばしボーッとする。そしてハッと我にかえり買物カゴをかかえて駅前にとび出していくという生活だった。

毎日の仕事の中で一番いやだったのがこの買物だった。いつ行っても常連おばさん軍団がバリケードをはって、私なんかは仲間にいれてくれないのである。どうせ同じ金を

出して買うならより新鮮でいいものが欲しいと思うもんだから、ちょっと遠い商店街まで足をのばす。そこでは個人商店の魚屋、八百屋が軒を並べていて、スーパーで売っている商品とは鮮度が違うのである。が、私はそこに群がるおばさんたちのバリケードをかいくぐらないと何もできない。そしてまたこれがものすごいのである。まず店の前に八人くらい並んでいると最低十分は待たないと買えない。そのうえ、きょうは何が店頭に出ているのかも背のびしてみないと把握できない。おばさんたちはお互い手を組みあっているのではないかと思うほどしっかと仁王立ちになって動かない。私の目の前には幅五十センチはあろうかと思われる臀部《でんぶ》がずらっと並び、私の行く手をはばんでいる。

「すみません」

と声をかけておばさんたちの間に入ろうとしたが完全に無視された。もう一度、

「すみません」

と今度はさっきよりももう少し大きな声でいってみた。すると目の前のおばさんがふりかえり、じっと私の顔をみた。

「あ、これは私にも場所をあけてくれるんだな」

とニッコリすると、おばさんは何だこの子はという顔をして、また店頭での闘いにのめりこんでいった。私はあせり、あっちウロウロ、こっちウロウロ、どこかに入りこむスキはないかと捜しまわった。

片やおばさんたちは順番など完全に無視しててんでにただ魚屋のおにいさんに向かって、

「おにいさーん、あたしハマチよ、ハマチ、ねー、おまけしてよオ」

とわめく。おにいさんも威勢よく、

「はいよ」

と返事をして新聞にハマチを包んでおばさんに渡す。ふつうはそれで用がすんだのだから、あとの人間にそこのポジションを譲るものであるが、どういうわけかおばさんたちはどかない。自分の用事がすんでも全く動くけはいがないのである。何してんのかと思ってみていると、ただ何となくそこいらへんにあるホウロウの小さな皿に盛られたアサリとか青光りするサバの切り身をながめているだけなのだ。そして自分の頭の上をとびかう「エボダイ」だの「タコ」だのという声に対して、

「あら、タコ。どれかしら。まあ安い。一つ買っていこうかなあ」

などとつぶやき、今度はタコの周辺を物色しはじめるのである。

「自分の用事が終わったらさっさとどけばいいのに……。本当に欲が深いんだから」

と内心ブツブツいっていた。それをバッと口に出せばスッキリするものを口から出せないところが私の困ったところで、少しでも魚屋のおにいさんにアッピールしようとつま先立ちして視線をあわせようとしても、まわりから怒濤《どとう》のように発せられる、

「あたしマグロ」

「アジを三枚おろしにしてよ！」

などというおばさんたちの大声にあっさりと負け、私は何も買えずにスゴスゴ引き下がるしかなかった。

それ以来私は方針を変えて、スーパーマーケットで買物をすることにした。スーパーマーケットはただ機械的に商品を選ぶだけだから楽なことこの上ない。この便利さを思えば多少の鮮度の悪さは気にするまいと自分を納得させていたのである。ところがここでもおばさんに悩まされた。私が買物をして、それをどんどんカゴに入れて通路を歩いていると、すれ違いざまおばさんが私のカゴの中をのぞくのである。それも独特な目配りで、チラッとさぐるような目つきをするのだ。私はこのおばさんのチラ目がイヤで仕方がなかった。私は自分で料理を作るという立場の人間としては、おばさんたちより遥かに未熟な新参者である。だから買物のプロであるおばさんからみると、一体私が家に帰って何を作るかというのが一目瞭然にわかってしまうらしく、カゴの中をチラ目でみたあと必ず、

「フフン」

とうす笑いを浮かべているのである。そのとき私の頭の中には油アゲのみそ汁とほうれん草のおひたしと筑前煮などというメニューが出来上がっているのだが、そのフフン

にあうと、まるで自分の秘密をのぞかれたようで、身がすくむ思いがしてくるのだ。中には露骨にカゴの中をのぞきこみ、

「あらー、筑前煮作るの、グリンピースいれないの？　色どりになってきれいよ。あれきらい？」

とか突然話しかけてくるおばさんもいて本当にびっくりしてしまう。

「いえ、別に、きらいじゃないんですけど」

「やっぱり筑前煮にはグリンピースがなきゃあ、ダメよ。あなたお国どちら？　あら東京なの」

と今度は身上調査まではじめる。私ははやくここからのがれたいと、あいまいな笑いを浮かべて少しずつ少しずつ横移動していった。ちょっとの会話のスキに、

「では急ぎますので」

といって逃げようとするのだが、おばさんの会話はよどみなく続き、しまいには彼女のグチまできかなければならないハメになる。どういうわけかそういうことが何度も何度もあって、正直いって閉口しているのだ。

だから最近はおばさんに襲われないようになるべく午前中に買物をすませられるように必死になって早起きしているのである。

駐車違反、レッカー移動で持ち主ビックリ周囲はニッコリ、他人の不幸はお楽しみ

先日の日曜日、駅のそばまで買物にでかけたら道路のところに人だかりがしている。事故でもあったのかといってみたら、みんなの顔がどことなくゆるんでいる。にこにこしている人もいる。殺伐とした世の中とはいえ、

「まさか交通事故を見て、にこにこしているわけじゃないだろうね」

と思いながらそばに行ってみると、路上駐車している車をレッカー移動しているところだった。午後の一番クソ暑い時間帯だというのに見物人はどんどん集まってくる。そして、みんなとってもうれしそうな顔をしている。

「戻ってきたらビックリするだろうなあ」

などといいながら腕組みをして、持ち主が戻ってきてあわてふためく姿を見るまでは

帰らない雰囲気のおじさんもいた。その証拠に車がレッカー移動されても、見物人はなかなかその場を立ち去らない。彼らが一番見たがっているのは、ひきずっていこうとする瞬間に戻ってくる持ち主のあわてぶりである。レッカー移動の作業をしている最中にも、内心、

「早く運転手が戻ってこないか」

とわくわくしているに違いない。世の中そううまくいかないから、たいしたトラブルもないまま、車はひっぱられていく。そして見物人は自分が立ち去った後に展開されるであろう光景を想像して、

「くくく」

と笑うのである。

私の実家のそばには、ある大学の水泳部のプールがある。夏場になるとそのプールは一般に開放され、近隣近在の人々の憩いの場となっていた。かつては電車でくる人がほとんどだったのだが、だんだん車を使う人が多くなり、それにともなって駅のそばに路上駐車する人がとても多くなった。実家は駅から歩いて五分くらいだが、プールが開放される時期になると、私の実家のそばまで車がずらっと止まっていることもあった。別に交通渋滞を引き起こしているわけでもなさそうだったが、それを見た警察は律義に「路上駐車許すまじ」といった具合に、次々とレッカー車を繰り出していたのである。

夏場、周辺住民のいちばんの楽しみは、レッカー移動された持ち主のうろたえぶりを無関心を装いながら眺めることだった。だいたい、プールに入ったあとはとってもけだるい。髪の毛もべとっと濡れていて何となくしまりがない。おまけに子連れで来る人がほとんどだから大騒ぎになるのである。仲よくホットドッグを食べながらやってきて、あるべきところに車がないのを見て、ホットドッグを取り落した親子。車がないのがわかって、どういう意味があるのか、ちりぢりになって車を捜しにいった四人家族。突然道路に書かれたチョークを指さしながら、子供がわんわん泣くのもかまわずに喧嘩をしはじめた夫婦。みんな気持ちよく泳いだあとの出来事だけに、何が起こったのか一瞬わからなくなってしまうようである。中でも一番悲惨だったのは、お父さんと坊やの二人連れだった。レッカー車でまさにひっぱっていこうとした瞬間、プールサイドにいたお父さんが気がついた。

「待って、待ってくれえ」

と叫びながら、彼は黒い海パンひとつで飛び出してきた。坊やもわけがわからず顔をこわばらせて後について走ってきた。ところが非情にもレッカー車は車をひきずって行ってしまったのだ。お父さんと坊やはぼたぼたと海パンからしずくを落したまま、呆然とレッカー車を見送っていた。車が見えなくなるまでじーっと見ていた。二人はひとことも喋らず、手をつないで肩を落してプールに戻っていった。海パンから落ちたしずく

が、おしっこをもらしたみたいに点々と道路にあとをつけていった。私は、

「まあ、なんて気の毒な」

と思いながらも、おかしくてたまらなかった。駐車場がないので電車でくるようにと表示があるのに、それを守らなかったのだから、しょうがないといえばしょうがない。それにもまして、我を忘れて海パン姿でおおあわてで走ってきたのはすごかった。ああいう姿はそれにふさわしいところで見るならいいけれど、ふつうの住宅地で見るとなかなかすさまじいインパクトがあった。

彼らがどうなったか、その後のことは知らない。楽しい親子のプール遊びも、レッカー移動のせいでつまらなくなってしまっただろう。しかしレッカー移動は見物人にとっては心の痛まない楽しみなのである。車をもっていかれるのはなんといっても持ち主が悪い。誰が死ぬわけでもない。持ち主の自業自得である。レッカー移動を頬《ほお》をゆるめて見ている人の姿を見るたびに、

「人間って他人のほどほどの不幸が本当に好きだなあ」

とつくづく思ってしまうのである。

「うどん、うどん」と騒ぐじゃないよ、恥を知らぬか、団体ツアー

一時、日本人旅行者をバカにして、外国では「ノーキョー」なることばがはやったことがあった。きっと白人のなかの、日本人を小バカにしたい奴が大ゲサに騒いでいるだけだと思っていた。ところが、「ノーキョー」で十把《ぱ》一絡《から》げにされる、海外旅行における中年のおっさんおばさんたちの姿を目のあたりにして、「こりゃ、外国人にバカにされるのも当然だわ」と深く深く納得した。

とにかく成田空港へ向かうリムジンバスの中で、すでにおっさんたちはできあがっていて、周囲の迷惑もかえりみず、「どひゃー、どひゃー」と大声で高笑いしている。「うるせえなぁ」と思って後ろの座席をふりかえったら、マズイことに中で一番デカイ声のオヤジと目が合ってしまった。ハッとして何事もなかったかのように知らんぷりしてい

ると、「うぇーっぷ」などというゲップ音と共に、そのうるさいオヤジが、私のそばにやってきた。からし色のポロシャツにこげ茶の背広。ズボンの社会の窓はみごとに全開。腹の中で「シッシ。あっちへ行け」といってみても、オヤジは「ウヒヒ」と真っ赤な顔で、ニタニタ笑いながらにじり寄ってくる。そしてなれなれしく私の肩を触りながら、

「ネエちゃん！　ネエちゃんはどこへ行くんだぁ」

と聞く。

「どこって……スペインですけど……」

「そうかあ。おじちゃんはロンドンだ。どひゃどひゃ」

オヤジは一人上機嫌で、ヨタヨタしながら自分の席に戻っていった。社会の窓を全開にしてどひゃどひゃ笑っているオヤジが、場末の温泉場に芸者をあげに行くならともかく、ロンドンに一体何しに行くのか。

しばらくすると後方からは「ンゴー」というすさまじい音がきこえてきた。そーっと後ろをみると、件《くだん》のオヤジが口をおっぴらいてイビキをかいていた。成田までの車中さえ我慢すれば、あとは何のかかわりもなくなる。それだけが私にとっての救いだった。

搭乗拒否もされず、ブイーンと無事飛行機も離陸し、ホッとした私の耳に、聞き覚えのある胴間声がとびこんできた。イヤーな予感がしてあたりを見まわすと、リムジンバスの中でクダをまいていたオヤジが、相変わらず団体仲間と、どひゃどひゃ笑いながら

騒ぎまくっている。スチュワーデスに向かって「ネエちゃん、ネエちゃん」とわめくし、ヒワイなことばは連発するし、「ここはお座敷列車じゃねえよ」と怒鳴りたくなった。

しかしここで疑問がわいた。たしかあのオヤジはロンドンへ行くといっていたはずである。ところがこの飛行機は、アンカレッジ経由マドリッド行きである。なのにどうしてあいつは乗っているのであろうか。つまり、あのオヤジには自分の行き先すらよくわかっていないのである。成田から飛行機に乗って紅毛碧眼の国へ行っても、いったいどこがどういう場所だか全然わかっていない。白人はすべてアメリカ人、黒人はすべてアフリカ人だと考えている手合いである。家から醬油だの梅干しだのをしこたま持っていって、目的地に着いても目を皿のようにして日本料理店を捜しまくるに決まっている。たまに地元の料理を食べても、「やっぱし日本人は、醬油や味噌の味付けじゃないと食えねえなぁ」などというのだ。そんな奴らは海外旅行にいかないで欲しい！　しかし現実は、そういう奴らに限って、腐るほど金を持っていて、世界各地ほとんどの国に行っていたりする。

アンカレッジに着くまでの間、嫌というほど地鳴りのような声で北酒場と夫婦坂を聞かされた。さきイカのニオイもただよってきた。あれだけ機内でわめき散らせば、少しはグッタリするかと思いきや、アンカレッジの空港に到着したとたん、「おー、うどんがあるぞ、うどんが」と叫び、団体のおっさんたちは紺地に白ヌキで「うどん」と書かれたノレンにむかって脱兎《だっと》の如く走り出した。私はアラスカにまで「うどん」のノレンがあるのにも驚いたが、たかだか成田を離陸して八時間しかたっていないのに、うどん、うどんと騒ぐな！　といいたくなった。おまけにおっさんたちがズリズリとうどんをすっている一方で、おばさんたちが隣接するカフェテリアにスイカがあるのを目ざとく見つけ、赤い果汁をダラダラ流しながら両ヒジを張ってむさぼり食っている。なだれのように空港内の店を右往左往しているのは、日本人の団体観光客だけである。どこへ行っても日本食と買物の二つが頭から離れない。私はこれから旅行することがあっても、恥を知らない団体ツアーには参加するまい、と心にしっかと決めたのであった。

常識はずれの欠陥人間たちとは健康のためにも仕事はしたくない

先日、私のところに某出版社から、原稿依頼の電話がかかってきた。電話の主は若い男性で、雑誌名はいったものの、自分の名前は名乗らない。そして、

「あのォ、実はァ、原稿をちょっとばっかし書いてもらいたいんすけどォ、やっぱ、忙しかったりして、無理ですかァ」

という調子である。私はかつては男女問わず、そういう物のいいかたをする若い奴らには、いちいち、

「ちょっとばっかし書いてもらいたいって、具体的にいうと、どういうことですか」

とつっかかっていた。しかし、ある雑誌に「怒ると、そのたびに頭の中の毛細血管が切れる」と書いてあるのを読み、まだまだ使わなければならないのに、そんなにブッチ

ンブッチン血管が切れてたまるか、と、最近はなるべく怒らないようにつとめている。

幸いこのときは、忙しいこともあってうまく断れたのだが、部下がこういう電話をかけているのを耳にして、まわりにいる先輩や上司は注意しないのか、不思議であった。

それからしばらくして、私は某社に原稿を届けにいった。実は締切ギリギリだったので、郵便で送って何かあると困るので、都心まで出向いたわけである。化粧だけはギッチリして、顔の表情がない若い受付嬢に、封筒に入れた原稿を渡した。もちろん相手の所属部署、名前、そして私の名前も記入ずみである。ところが二、三日たって、先方の担当者から、

「原稿どうなってますか」

とあわてて電話がかかってきた。私は驚いて、

「おととい受付の人に渡しときましたけど。きいてみて下さい」

といった。後日、送られてきた掲載誌に無事私の原稿は載っていた。そしてまた三カ月たって、また同じ会社に原稿を届けにいった。理由は前のときと同じである。このあいだは、受付嬢の手違いで、担当者にスムーズに原稿は渡らなかったが、たまたまそういうことがあったのであろう、と、二、三年前の私からは考えられないくらい、鷹揚《おうよう》にかまえていたのである。とにかく例のブッチンが恐いのだ。しかし、ひとことといわなきゃ気がすまないのが私の性格で、受付嬢のもとに歩みより、

「このあいだは、手違いで原稿がその日のうちに渡らなかったようなので、必ず今日中に渡して下さいね」

といった。すると、彼女はだまってプイッと横をむいたまま知らんぷり。カーッと頭に血がのぼったが、

「毛細血管、毛細血管」

と呪文のようにとなえ、私はムッとして、横目で厚化粧のケバケバしい受付嬢をにらみながら、その場を離れたのであった。ところが、また二、三日たって、担当者から前と同じように、

「原稿どうなってますか」

とあせった電話。私はあきれかえって、

「さあ、おととい受付に届けときましたけどね」

といった。あとは社内の問題で、私には関係ないのである。しかし、難しい技術を修得するならいざしらず、こんな間違いを二度繰りかえすのは明らかにバカである。こういう女が、会社の顔として受付に座っているのは、恥であることを上司は把握して、ボーッとしていてもすむようなポジションへ配置転換するべきである。きっと面接試験のときに、中年のおじさんたちが、「ちょっと化粧は濃いけど色っぽいとこがいい」などといって、入社させたのであろう。社内ではいくらミスしても、まだ救いがあるが、社

外の人との応対でミスしたら、えらいことになる。でも、そういうことは上司はまったく知らないことが多いのだ。部下もこっそり、もみ消してしまって知らんぷりであるから、不愉快な思いをするのは社外の人間である。

原稿を書いて、連絡を待っていたのにもかかわらず、担当の女性編集者からはウンともスンともいってこない。変だなあと思っていたら、いつのまにか私の原稿が載るべき号が出ていたとか、雑誌で本の紹介をするからといって、バチバチ写真を撮りまくり、そのままトンズラしてしまった男とか、けっこうこの業界にもいろんな奴がいるのである。

現在、私はいろいろな会社から仕事をいただき、また依頼の電話がかかってくる。だから、「○○よりも××のほうが、社員がきちんとしている」とか、つい比較してしまう。ろくに電話もかけられない人とか、常識がない人とは、はっきりいってお仕事はしたくないのである。対人関係で基本的な態度に欠けた人は、私は嫌いだ。私は嫌いな人とは会いたくないし、なるべく会わないように、つとめる。これが、ブッチンを避ける一番の得策なのである。

包装紙きれいにはがしてなんになる
表面を繕う日本的美徳のいじましさ

最近いちばん笑ったのは、イタリアから届いた手芸雑誌が入っていた封筒である。とにかく切手の貼り方がひどい。封筒に貼ってあった切手は、一枚が四十五度傾き、もう一枚はとんでもなく離れた場所に、八十度ぐらい傾いて貼ってある。明らかに、

「切手なんて貼ってありゃあいいんだ」

といわんばかりに、ペロッと裏をなめて掌で無造作にバンッバンッと貼りつけたという態度が丸見えなのである。イタリアには行ったことがないが、ひとづてに聞いた、「イタリア人の人のいい適当さ」が何となくわかったような気がして、とてもおかしかった。日本でこんなことをやったら、何とだらしがないと怒りをかうだろう。イタリアでは切手は単なる料金を払った印で、その貼り方を見て「親の躾《しつけ》がなってない」だの、

「何てだらしない性格か」などと、とやかくいう人はいないのだろう。

私は就職したときに会社の先輩から、切手はきちんとまっすぐに貼らないと、相手に失礼だと教えられた。どうしてそうしなければならないのか疑いもしなかった。

「理由は何だかわからないけど、そうしないと相手が不快になる恐れがある」。みんながわかっていたのはただそれだけだった。切手を貼らないで手紙を出すわけじゃなし、貼ってあればそれで充分なのに、どういうわけか日本人はものがまっすぐだったり、きちんとそろっていないと嫌がるのだ。

あるとき、二十人くらいで会食する機会があった。私の隣に座っていたのは、「帰国子女」ということばがまだなかった頃、高校生のときに日本に帰ってきた、外国生まれの四十歳の日本人女性だった。彼女は大柄だし服の趣味も化粧もどことなく感覚が違っていて、異国の雰囲気を漂わせている。日本の大学にいきたかったのだが、古文や漢文が全くわからないので受験に失敗し、外国の大学を卒業したのだといっていた。彼女がしみじみと、

「自分は日本人なのに、古文がわからないのは悲しい」

といっているのを、私は、

「学校で習った私だってほとんど忘れてます」

などと慰めたりしていたわけである。そうこうするうちにお開きの時間となり、主催

者側からおみやげにと単行本くらいの大きさの紙包みを渡された。

「どうぞ開けてみて下さい」

といわれたので、セロハンテープを必死ではがしながらふと横を見ると、例の帰国子女は包みをわしづかみにしたかと思うと、そのままビリビリと音をたてて紙を引き裂いているではないか。そしておみやげをバッグにいれると、そのまま知らん振りしている。彼女の目の前にはぐちゃぐちゃになった紙が散乱したままである。私はその時、

「外国で暮らしていた人はやることが違う」

と、つくづく感心してしまった。彼女の年齢からすると私よりももっと厳しく育てられた世代である。それがこういうことを公衆の面前でやってしまうのは、外国でずっと育ったことが影響しているのだろう。

「包装紙はきちんとセロハンテープをはがして、しわを伸ばしてとっておくこと。いつ使うようになるかわからない」

私の母親はいつもこういっていた。万が一ビリッとやろうものなら、

「もったいない！」

と怒鳴られ、母親の機嫌が悪い時はお尻を一発ぶたれた。たんねんにしわを伸ばした包装紙は、きちんとたたんで戸棚にしまった。しかし私が覚えている限りでは、もったいないとしまいこまれた包装紙が再利用された記憶はない。そのうえ年末の大掃除のと

きになると必ず、

「困ったわねえ」

という母親のため息まじりの声と共に、ゴミ箱行きになっているのを何度も目撃したのだ。後生大事にためこんで、あんなにもったいないといいながら結局は捨ててしまう。それじゃ、あのときに私がお尻をぶたれながらセロハンテープをはがした労力はどうなるのだといいたかった。今から思えば単に「表面的な日本人の美徳」ごっこをしたのにすぎなかったような気がする。人様にうしろ指をさされないように育てようとしたのだろうが、今になってみると他人に迷惑をかけるのならともかく、人目ばかり気にした躾って意味がない。切手を横向きに貼ろうが、ビリビリと包装紙を破こうが、そんなことで人格を判断されてたまるかと怒りながらも、私はみごとに洗脳されてしまっている。

「きれいに包装紙をはがしたからどうなんだ。切手をまっすぐ貼ったからなんだっていうんだ」

と腹の中で思いながらも、やっぱり切手はまっすぐに貼ってしまうのである。

ふとどきなゴミ捨て人をチェックする すさまじきその執念が恐ろしい

私はゴミの日に、いつも山のようなゴミを出す。自分であきれるくらいの量である。ゴミ袋がひとつで済むことはまずなくて、だいたい両手にブラ下げて、えっちらおっちら集積所まで運ぶことになる。それもタテ八十センチ、ヨコ六十センチの一番大きなサイズのビニール袋の中にぎゅうぎゅう詰め。中身のほとんどは紙類なので、生ゴミでにおうということはないのだが、とにかくかさばるのだ。気合もろとも袋を持ち上げてドアを開けたとたん、隣の人と顔を合わせるとものすごく恥かしい。相手は夫婦で暮らしているのに小さなゴミ袋ひとつ。それなのにこっちは独り者なのに、パンパンにふくらんだ袋を両手に持って仁王立ちになっているからである。そんな状態なので寝坊してゴミが出せないと、狭い台所がすぐ黒いゴミ袋でいっぱいになってしまう。おまけに燃えないゴミの日が週に一回しかないから、出し損なったりすると、ダンボールなどもふえていく。黒いゴミ袋とダンボールに囲まれているので、屋根はあるものの生活環境はレゲエのおじさんとたいして変わらなくなってくるのである。

そして運悪く、家のなかがレゲエのおじさん風になっているときに限って友だちが来る。何かいわれる前に、先手を打ってしまおうと、

「ゴミ、捨ててなくて……」

というと、ほとんどの人が、

「前の日の夜、捨てられないの？」

と聞く。どこの集積所でもそうだが、

「ネコが食い散らかすので、前日には絶対に出さないでください」

と書いてあるものだ。以前のアパートは商店街のなかだったので、その立て札は無いも同然だった。夕方から開く飲食店の人が、深夜店を閉めてからゴミを捨てて帰ってしまうため、みんなもそれにまぎれて、これ幸いと前日の夜でも平気でゴミを捨てていた。ところが今のアパートは静かな住宅地のなかにある。みんなきちんとルールを守っている。そういうときに掟《おきて》を破ってゴミを捨てるなどという大胆なことは、小心者の私にはできないのである。

うちの近所のゴミ集積所はどこも本当にきれいにしてある。チリひとつ落ちていない。

夏でも悪臭などしたことがないのだ。きっとゴミ出しのチェックに命を燃やしている人がいるのではないかと思ったらやはりそうだった。午後になって集積所の前を通ると、二十四時間スーパーの袋にはいったゴミに短冊が貼りつけてある。そこには、

「本日のゴミ収集は終わりました。このゴミを捨てた方は、すみやかにお持ち帰り下さい」

とマジックで書いてあったのだ。なかなか厳しいわねと思って、夕方またそこの前を通ったらゴミの姿は消えていた。ふとどきなゴミ捨て人はきっと短冊を見て、すごすごと持ち帰ったのだろう。きっとチェック係はゴミが消えたのを見て、ほくそ笑んでいるのに違いない。燃えるゴミの日に出してある燃えないゴミにも、

「燃えないゴミは火曜日です」

といちいち短冊がつけてある。いつもご苦労なことである。ところがこの間もっとビックリするようなことが起こっていたのだ。

ブロック塀に大きな模造紙が貼ってあり、

「最近ゴミ出しのルールが守られていません」

と書いてあった。それから一週間後、その紙の隣に、突然、一回り大きな紙が貼られ、

「〇〇××子様、あなたはいつもゴミのルールを守っていません。今後こういうことが続いたら、あなたのゴミの収集は拒否します」

と怒りをこめた大きな字で書いてあるのだった。名指しで非難してあるというのはよほどのことなのだろうが、私はそのふとどきなゴミ捨て人の名前がどうしてわかったんだろうと不思議でならなかった。ゴミのチェック係が終夜生け垣に潜んでいて、ゴミ捨て人のあとをつけていったか、捨ててあったゴミをチェック係が持ち帰り、新聞紙の上にでも広げて名前がわかるようなものがないか調べたのに違いない。ゴミを持ち帰っても、ティッシュ・ペーパーや紙の切れ端ばかりで名前がわからないこともあるだろう。何しろゴミだから手にするのもばばっちいものが入っている可能性が大である。それをものともせず捨てた人が誰かを徹底追及するなんて、すさまじい熱意である。もちろんルールを守らず捨てるほうが悪いのだが、だからといって公衆の面前に名前を貼り出すというのはなかなかすごい。このようにチェックの厳しくなった地域で前日の夜にゴミを出したら犯人の家を捜しだし、捨てたゴミをわざわざ返しにくる人が絶対いる。正直いって前日の夜に出せるんだったら寝坊もできるし、どんなにいいかと思う。しかしチェック係のあまりの厳しさにビビッてしまい、部屋がすぐレゲエのおじさん風になってしまう私なのである。

無作法なのか関わりあいはイヤなのか、隣に越して知らん顔、最近近隣挨拶事情

長いこと空いていた私の住んでいるアパートの隣の部屋に、若い女の子が引っ越してきたらしい。出かけるときに隣のドアの前に置いてあったかわいいタンスやら冷蔵庫を見てそれを知ったのである。ひとり暮らしをさせるのが心配らしく、休日になるとお父さんやお母さんが必ず姿を現し、あれこれ面倒を見てあげているようである。こういうことをいうとなんだが、私の部屋と同じ間取りに住むとなると、学生さんにしても新卒の人にしても贅沢な家賃の部類にはいる。両親も娘かわいさに奮発したらしい。彼らにしてみれば、ちゃんと清らかな生活をしてもらいたいという願いがこもっているのだろう。しかし私はしばしばその部屋に男性が訪れるのを目撃してしまった。それを知ったら両親はたまげてしまうだろうが、心優しき隣人は、

「そういうこともあるわ」

といって、見なかったことにしているのである。しかしどうしても納得できないことがひとつだけある。それは引っ越してきて一カ月以上たっているのにもかかわらず、彼女がうちに挨拶をしにこないことである。だから未だに私は彼女の顔も名字も知らない。別に挨拶代わりの手拭《てぬぐい》やタオルを貰いたいわけではない。

「隣に引っ越してきた○○です」

くらいの挨拶は当たり前だ。娘に金をかけるのもいいけれど、両親も最低限の礼儀くらいは教えておくべきなんじゃないかと少し驚いているのである。

そういえば私がここに引っ越してきたとき、彼女が引っ越してくる前に住んでいた若夫婦のところに挨拶にいって驚いたことがあった。旦那はドアを薄目にあけて、

「あっそうですか」

といっただけ。差し出したタオルをひったくって、呆然としている私の鼻先でバタンとドアを締めたのだ。その何日かあと、女の人が隣のドアを開けて入っていったので、

「あれが奥さんなんだな」

と思いながらその前を通り過ぎようとした。すると閉まっているはずのドアが細く開けられていて、彼女がこちらの様子をじーっとうかがっているのがわかってしまったのである。あまりの態度に、

「まずいことをしでかして、世の中に顔向けできない人なのかしら」

と思ったりもしたが、別にそういうこともなさそうだった。隣人に好奇心はあるけれど、面と向かって挨拶するのはかったるいみたいだ。

その話を友だちにしたら、

「実は……」

といって、彼女の妹さんにふりかかったある事件について話してくれた。妹さんはマンションの五階に住んでいた。ところがベランダに干しておいた下着が盗まれてしまった。周囲には五階までつたっていけるような木も建物もない。万が一、風で飛んでいったとしても、ちゃんと洗濯バサミでとめておいたし、派手な柄のものばかりが飛んでいったというのも考えられない。どうも気持ちが悪いのでそれから下着は外に干すのはやめにしたそうなのだ。ところがしばらくして今度はブラウスやTシャツまで取られたので、服も外に干すのはやめにした。警察にも連絡して、深夜、パトロールをしてもらうようにした。しかしその甲斐もなくバスタオルまで取られてしまった。いい加減頭にきて、引っ越しを考えていたときに、とうとう大事件が起こった。真夜中、がたがたと音がするので目がさめたら、ベランダに人影があって窓を開けようとしている。ギョッとして一一〇番に電話して息をひそめていたら、カーテンの隙間から侵入者の顔が見えた。何とそれは隣の部屋の男だったのである。結局彼はかけつけた警察官に捕まり、彼女も無事だったのだが、その男は一連の下着及び衣類の窃盗も白状したそうである。

彼女はそこのマンションに引っ越したときに、両隣にきちんと挨拶をした。そのときに目をつけられたらしい。

「そういうことがあるから、あなたの隣に引っ越してきた若い女の子も、警戒してるのかもよ」

友だちはそういうのだが、私は別に下着泥棒でも暴行魔でも何でもない。志村けんの「だいじょうぶだぁ」を見ながら、やっと覚えた「ウンジャラゲ」を踊ったりはするが、心優しき普通の隣人である。今は「近くの他人より遠くの親類」の時代なのかもしれない。

昨日たまたま出かける時間が一緒だったので、初めて隣の彼女と顔を合わせた。

「こんにちは」

といったらば、彼女は無言で頭を約二〇度傾けただけ。どういう理由があろうと、やっぱり私はこういう態度って納得できない。

ファン心理とはありがたくも恐ろしいもの
私にしのびよる拓本じいさんの魔の手!?

ファンの人はありがたいものだが、なかには悪い人じゃないんだけど、とても困っちゃう人がいる。学生時代の友だちだといって出版社から電話番号を聞き出し、締切を目前にしてヒーヒーいって原稿を書いている私に、自分の悩みを訴えてくる。そしてそのあげく、

「いったいどうしたらいいと思いますか」

などと私に意見を求めるのだ。こういう人には、

「不満はわかるが、私はあなたじゃないのであなたの生き方については答えられない。仕事中なのでこのような電話は迷惑なのだ」

とはっきりいうことにしているのだが、これで引き下がるかと思うとさにあらず。相

手は全くひるむことなく、

「いつになったら仕事は終わるんですかあ。教えてくれれば、また電話しますけど……」

と平然としている。全くあきれるばかりである。

電話よりも手紙のほうがまだ迷惑度は低いが、それでもいろいろなのがくる。

「夫と離婚して東京にでて働きたいのだが、身寄りもないので保証人になってくれないか。できれば出版社に就職口を世話してくれるとありがたい」

という若い主婦。

「本を読んでファンになった。ぜひあなたと酒を飲みたいので、電話をくれ」

というOLからの手紙。その手紙には彼女の会社と自宅の電話番号が書いてあり、

「水曜日は必ず残業があるのでダメ。金曜日と日曜日もダメ。それ以外の日だったら九時から五時までは会社。七時以降は自宅に電話するように」

などと細かく指示してある。おやおやとため息をつきながらも、

「私は出入りの業者じゃないわい」

とむっとしてしまうのも事実である。まあ、若い人はどういうことが相手に対して迷惑なのかよくわからないのだろうから仕方がないが、年配のファンの人のなかにも、悪い人じゃないけどちょっと困る人がいる。若い人だとこちらも平気で無視できる部分も

あるのだが、相手が老人となると正直いってどうしていいかわからないのである。

ある日、うちにぶ厚い郵便物が届いた。差出人は私の読書エッセイを読んで下さった八十歳近い男性で、彼が若い頃、投稿して雑誌に掲載されたページのコピーと手紙が同封してあった。手紙は便箋に三十枚も書いてあったのだが、達筆すぎてほとんど解読不可能であった。彼はその本で私が紹介した小説のすべてを読んでおられ、私のことを純文学の話がわかる同志と思ってくださったらしいのだが、残念ながら彼と私には本に対しての考え方に微妙なずれがあった。彼は本を読むこともちろん好きなのだが、サイン入りの初版本を収集するのに精を出したり、生原稿を欲しがったり、作家の色紙を壁に飾ったりというノリの人なのである。

手紙に返事は出さないのでそのままにしておいたら、二、三日たってまた彼から大型の郵便物がきた。雨に濡れても平気なように、厳重に包装してある。何だろうと開けてみたら、墨のついた大きな和紙がでてきた。同封の手紙を読んだら、

「遠くにお住まいの群先生のために、私が拓本を取ってまいりました」

と書いてあって、たのんでもいないのに某作家の記念碑の拓本が入っていたのである。

「ひえーっ」

私はのけぞってしまった。ご老人が墨やたんぽを持って、わざわざ取ってきてくれたのはありがたいが、そんなものに興味のない私にとっては、残念ながらこれはただの紙

でしかない。二、三日たって、また彼から郵便物が届いた。今度もまた拓本であった。

「息子の家に遊びにいきましたついでに取ってまいりました」

というお手紙つきである。彼が一生懸命やって下さっているのにもかかわらず、私はちっともうれしくない。むくわれない作業なので、遠回しに、

「どうぞ気を使わないでください」

という手紙を出した。すると今度は色紙を十枚送ってきて、記念に一筆書いて送り返してくれという。カボチャやナスの絵を描いて、

「仲がよいことはいいことだ」

などと書くわけにもいかないし、第一そんな恥かしいことなんか、できない。それからも次々に手紙やら記念館で売っている拓本のコピーが送られてくる。手紙の内容は、

「若い頃、作家の○○に会ったことがある」

という類《たぐ》いのもので、文末にはさりげなく色紙の催促もしてある。彼にとってはこれが生きるエネルギーになっているのだろうが、目下、この拓本じいさんにどう対処するかが、私の最大の課題になっているのである。

手紙、電話で人生相談。あなたはスッキリ気持ちがいいが、私にゃ時間のムダ遣い

私はどうも、他人からみると文句をいい易いタイプのようである。これは私個人に対してではなく、他人が私に、彼らが持っている不満をぶつけてくるのである。

大学入試のとき、どこを受けようか迷い、当時はやりだったコンピューター診断を受けたことがあった。これは学力は一切無視して、性格的にどの大学のどの学部が合うか、そして一番性格に合っている職業は何か判断してくれるのだ。学力が伴えばこんなに喜ばしいことはないが、その大学に入ることができる能力がなければ、あまり役にたたない。

私の性格に一番適しているとコンピューターが判断したのは、東京教育大学（現筑波大学）の社会学部で、将来カウンセラーになるといいと書いてあった。いつもたらんこ

たらんこして日々を過ごしていた私は、そういう職業には興味がなかった。第一、自堕落な生活をしていて人様に助言などできるわけがない。もちろん国立大学を受験できる学力なんか全くなかったので、この件は単に話の種で終わってしまった。

ところが会社に勤めるようになって、私はやたらと人から相談を受けるようになった。「女の子をデートに誘う方法」「子宮筋腫の治し方」「一人暮らしの青年のための、正しい性のありかた」など、私にいわれてもよくわかんないことまで相談されたのである。

そしてそれは本を出してからますますひどくなった。読者が本を読んだ感想ではなく、自分のことを手紙に書いて私のところに送ってくるのである。北海道の大学生の男の子から、「授業中なのですが、つまらないので手紙を書きました」と、ルーズリーフ・ノートに書いた手紙がきた。彼はうちに帰るとお母さんに「早く雪下ろしをするように」といわれるそうで、「うちに帰るとこき使われるので、帰りたくない」などとゴネているのである。私はその手紙を読んで、「そうか、そうか」と思った。二カ月くらいたってまた彼から手紙がきた。自分が読んだ本のこととか、バイトがつまらないとか書いてあった。熱心に手紙をくれるので、「これはきちんとしなければまずい」と思って返事を書いたら、それっきり手紙がこなくなった。私は少しムッとした。

ブティックのお針子さんから「今まで何度もやめようと思ってたけど、思い切って会社をやめました。よくやったと誉めてください。でも私はこれからどうしたらよいのでしょう」という手紙がきた。「まだあなたは若いし、チャンスは一杯あるのだから、これからも頑張ってください」などと偉そうなことを彼女への返事に書いた。

本屋さんからもきた。出版社に私の本を注文してくれたらしいのだが、その出版社の人の扱いがぞんざいだったのと、出たばかりの本だというのに品切れだといわれた、という怒りと訴えのお手紙であった。私は、「出版社の不手際、誠に申し訳ありません。担当者によくいっときますから、すみませんがもう少しお待ちください」という返事をその本屋さんあてに書いた。正直いって、「なぜこんなことまでしなきゃなんないのかしら」と思った。

いろいろなことはあるにしろ、まだ手紙で用が済んでいるうちはよかった。うちの電話番号は仕事関係の人にだけ教えているのだが、ついこの間、原稿を書いている最中に、どういう手を使って番号を知ったのかわからないが、二十五歳の女性から電話がかかってきた。受話器を取ったら相手は物凄く怒っている。よく話を聞いてみたら私に怒っているのではなく、半月前に彼女を一方的に解雇した、会社の社長に対して怒っているのだった。彼女は興奮し切っていて、私に口を挟ませることなく二十分間喋《しゃべ》り続けた。私もいいかげん嫌になってきて、電話をしてきた理由を聞いた。すると彼女は、「私と同じ立場になったらどうしますか」というのである。

「私はあなたじゃないのでわかりませんね」

といったら、彼女はまたやめさせられた会社のことをいい続ける。しばらく何事かいっていたが、彼女もひととおり文句をいったら少しは気が晴れたらしく、

「お忙しいところ、こんなことといってすみません」

といって、電話を切った。

こういうことがあると、最初のころは、

「せっかくいってきてくれるんだから、相談に乗ってあげなきゃいけないかしら」

と思ったが、彼らは私が思っているほど、真剣に悩んでいないことがやっとわかった。自分が決めている結論を正当化したいために、他人にあれこれいっているに過ぎない。私の貴重な時間を、単なるグチとか、こんなことのために邪魔されてたまるか。子供じゃないんだから、自分のことはきっちり自分で決めて、他人まで巻き添えにしないで欲しいと心から思うのである。

一にスケベで二に無言、不愉快電話の横行に、できれば切りたいホットライン

よくいたずら電話がかかってくる。今までで多かったのは、やはりスケベな電話である。私が電話に出ると、

「奥さん、奥さん、」

といって、一人でハアハアしている。黙って聞いていると、

「奥さんですかあ。ボク、裸なんです」

と、なかなか熱心である。しかし一方的にただうめいているだけなので、うるさいから受話器をそのままテーブルの上に転がしておいた。

しばらくして受話器に耳を近づけてみると、相変わらずハアハアやっている。一人でできるんだったら、わざわざ電話料金を使わないで、自分だけで遊んでりゃいいのに、

御苦労なことである。こういうヒマな人間に、うちの電話を占領されてはたまらない。何とか電話を切らせることはできないものかと考えていたら、ちょうどテレビにせんだみつおが出ていた。そっとテレビに受話器を近づけ、突然ボリュームを上げて、「なはははは」という間抜けた笑い声を聞かせたら、あっという間にガチャンと切れた。それっきりスケベな電話はかかってこなくなった。

ホッとしたのもつかの間、このごろは無言電話がやたらと多くなった。受話器を取っても、うんともすんともいわない。夜の十時から明け方の五時ごろまで、三十分おきにかかってきたり、夜中の三時から朝の五時までのこともある。耳をすませてむこうの様子をうかがってみたが、機械が作動しているような音しか聞こえなかった。

最近は、深夜、早朝には受話器を取らないことにしたのだが、飽きずに延々とコールしている。数えてみたら六十回もコールしていて、この執着心には感心すらしてしまったが、おかげで寝不足になってしまった。

学生のときは、どこで電話番号を調べたのか、英会話カセットの勧誘の電話で、随分迷惑した。そのつど私は、

「どうしてうちの電話番号がわかったのか」

と聞いてみたのだが、相手は、

「本部のほうからまわってきた名簿を見てかけているので、詳しいことはわからない」

というだけ。自分が知らない人に電話番号を知られているのは気持ちが悪い。こういろいろと電話に悩まされると、毎日の生活のなかでも電話番号を書きたくないなあ、と思うことがしばしばある。

このあいだ私は高校時代の女友だちと、新宿にある若者が好きそうな洋風酒場にいった。ひさしぶりに彼女たちと楽しくお話していると、支配人らしい初老の男がやってきて、

「業界紙の人が取材にきているのですが、店のなかの写真を載せるので、写真を撮らせてくれませんか。出来上がったらさしあげますから」

という。まわりを見渡してみたら、他の客はアベックか男の子のグループだけだった。きっと店のほうは、女性も気軽にこられる雰囲気を強調したかったのだろうし、こっちも一緒に写っている写真がなかったのでOKした。住所を書いてくれというので、私の住所を書いた。すると彼は、電話番号も書けという。私はなるべく、たいした関わりあいのない人には電話番号を教えたくなかったが、今回は友だちも一緒だったので、いわれたとおりにしたのである。

十日程たって、その男から電話があった。

「写真ができてます」

という。私がふんふんと聞いていたら、それっきり何もいわない。不気味な沈黙が流

れたあと、彼は、

「報告おわりです」

などという。

「報告おわりって、どういうことですか」

よく聞いてみたら、写真を取りにこいというニュアンスなのである。

「私はうちで仕事をしていて、そちらのほうには行かないので送ってください」

というと、

「送るんですかあ」

と、とても不満そうなのである。会社の経費節約のため、たった百円程度の切手代をケチるのも結構だが、それで客に悪い印象を与えるということがわからないのも、考えてみれば気の毒である。

そして、それから一カ月以上もたつのに、いまだにうちには写真が送られてこない。それはそれでいい。そういう店には金輪際行かないだけである。問題は彼に教えた電話番号のメモがどうなったかである。ゴミ箱行きになっていれば喜ばしい。そういう男に、うちの電話番号が知られていたのかと思うと、ものすごくソンした気持ちになる。NTTには悪いが、正直いって電話はもう捨ててしまいたい。もっと手紙で連絡がとれる世の中になればどんなにいいかと思っている。

一時間食べ放題でお一人様二千円！
無言のお客に、演歌をがなる高校生

先日、私の勤めている会社でアルバイトをしてくれている男の子たち五人をつれて夕食を食べにいった。私は全くといっていいほどお酒が飲めないので、食事をしておまけにお酒も飲めるという店など知らなかったのだが、さすが学生諸君、安くかつ量があり、そのうえ飲めるという店にただ財布を握っているだけの私をつれていった。

そこは一時間以内何でも食べ放題という店だった。若い人ばかりではなく中学生くらいの男の子三人をつれた中年夫婦もきていて、

「これは誠に経済的ではないか」

と私はその中年夫婦の賢い行動に感心したのだ。焼肉、サラダ、焼ソバ、スパゲティ、デザートの果物、ビール、ワイン、もう何でもある。それを好き勝手にカウンターから

持ってきて一時間以内に食べれば一人二千円ですむのだ。私は学生諸君のすさまじい食欲を目の前にして、ただびっくりするだけだった。

しばらくすると店の奥のほうで、男たちのワーワーいう声がする。

「何なのあれ」

「ああ、奥にね、宴会場があるんですよ。三十人か四十人くらい入れるんですけどね。そこで何かやってるんじゃないんですか」

と焼肉をほおばりながら青年Aがいった。ふーんと思って私はまけずに焼ソバを食べていると突如、

「フレー、フレー〇〇〇」

という胴間声が店の中にとどろいた。ギャッとしてあたりを見回すと、どうやら声の主はさっきの宴会場の中にいるようだった。

「大学のクラブのコンパでもやっているんだろう」

と再び焼ソバをつっつきまわしていると今度はカラオケがきこえてきて、その音と共に宴会場の襖《ふすま》が開いて、わらわらと中から学生服の男たちがでてきた。が、どうもおかしい。どうみても彼らは大学生にはみえないのである。彼らは中でもいちばん下っ端らしく、氷やきっと水割りを作るためのグラスやミネラルウォーターをかいがいしく宴会場の中に運んでいるのだった。

「ねえ、ちょっと、あの子たち高校生じゃないの？」

私は横目で、チェッカーズのような頭をした彼らを見ながら隣で肉をほおばっている青年Bにささやいた。彼は、

「今はね、金さえ出せば高校生にだって酒出す店がありますからね。別に驚くことじゃないですよ」

と肉だけに神経を集中し、どうでもいいという感じなのだった。しかし同じ高校生だというのにどうしてこう顔立ちに差があるのだろうか。別に美醜のことをいっているわけではない。まるで中学生のような童顔の子もいれば、つきそいかと思うようなおとっつあんのようなツラがまえの子までさまざまなのだ。そういった彼らが皆同じ黒い学生服を着ているのもなかなか面白い。

私たちのほうの制限時間もあと二十分を切り、青年たちはバクバクと肉をかきこみ、あわただしくまたカウンターに肉や野菜をとりにいくという状況になった。片や宴会場の高校生の一団の騒ぎはとどまるところを知らず、あたりをはばかってか、

「飲め」

とか、

「酔った」

などという言葉は全く発せられないにせよ、相当酒が入っているという雰囲気は伝わ

ってくる。さっきからBGMとしてだけ流れていたカラオケが突如ものすごいボリュームになり、耳をつんざくひどい音痴の歌声と共に店内に響きわたった。あまりの音量に、私たちの話し声すらお互いにきこえないのである。さぞやまわりの人々も迷惑していることだろうとキョロキョロすると、先ほどの子連れ中年夫婦も、他の客もただ一心不乱に目の前の料理と格闘しているだけで、誰も大音量のカラオケなど気にもとめていないようすだった。

「ねえ、ちょっとうるさくない？　どうして皆黙ってるんだろうね」

私は再び青年Bの耳元でドナった。

「えっ！　ここに来てる人はみんな制限時間一本勝負の人間ばかりですからね。あんなことでメシを食う量が減ったらもったいないですからね。気にしませんよ。気にするくらいなら腹いっぱい肉食ったほうがいいもん」

と相変わらず肉を食べるペースをくずさずに言う。

「そうか……こういう店ではいちいちそんなこと気にすることじゃないのか」

私は初めて知った。

宴会場のカラオケ大会はますます盛り上がっている。音痴のオジさんのような声で「氷雨」を唄っている。一曲終わるごとに、

「ウォーッ」

という怒濤《どとう》のようなどよめきと拍手の嵐。そして手拍子にむかえられて次の人が登場し、店内に、「北の宿から」が何の風情も哀愁もなくただガナられるのである。酒に酔ったときの日本人の何がなんでも曲が流れていれば二拍子で手をたたき、演歌だろうが歌謡曲であろうがすべて音頭にしてしまうという習性が彼らのような若い高校生にまで蔓延《まんえん》し、まるでテンポのあわない手拍子が伴奏をかなで、ものすごい騒ぎなのである。

「あと五分、あと五分ですよ」

いままで一言も発さなかった青年Cが私に向かって言った。私も思わずあわてて肉を口に運んだ。宴会場からは、「銀座の恋の物語」が男同士の不気味なデュエットで聞こえてきた。どういうわけか同世代であるはずのマッチやチェッカーズやシブがき隊の歌は全く唄わないのだ。カラオケをきいているとそういう種類の曲もあるようなのに、そこは早送りですっとばしていた。まさか彼らが浅丘ルリ子や和泉雅子のファンではあるまいに、なぜカラオケになるとそういうサラリーマンのおじさんたちが唄うような曲を唄うのか、私は、

「あと二分、あと二分」

という絶叫を聞きながら考えてしまったのである。

熱血バーゲン会場で勝利するには素早い行動、浮かれぬ理性にど根性

私はバーゲンが苦手である。就職してすぐ、友人に誘われてデパートのバーゲンにいって、度肝《どぎも》を抜かれたことがあるからだ。デパートの入り口で待ち合わせをしていたのだが、やってきた彼女のいでたちを見て驚いた。私は中ヒールの靴をはいて、ワンピースの上にジャケットをはおっていた。ところが彼女のほうは、トレーナーにジーンズ、足元はスニーカー。ポシェットを斜めにかけて髪の毛をひっつめにしている。とても盛り場にやってくるような格好ではなかった。ふだんはとてもきれいにしているので、彼女がどうしてそんな格好できたのかわからなかったのだ。いちいち着てるもののことなんか聞いちゃ悪いかな、と思いながらも、

「今日はずいぶんラフだね」

といってしまった。すると彼女は、

「うん。これがバーゲン用の格好なの」

という。えっ、とビックリしている私に向かって、

「そんな格好じゃ、目ぼしいものはみんなとられちゃうわよ。バーゲン会場に臨むときに一番大切なのは、素早い行動なの！　大股開いても、ふんばっても、人と人の間に体を割り込ませても乱れないヘアスタイルと服装。バーゲンのプロになるんだったら服装からキメないとダメだわね」

とキッパリいいきるのだった。

そんなもんかしらと半信半疑で、私たちはバーゲン会場に行った。わんわんいる女たちの集団を見て、一瞬たじろいでしまった。必死になって洋服をひっかきまわしている彼女たちの上空に、彼女たちの「熱気のオーラ」というか「パワーの塊《かたまり》」が渦巻いていたからだ。それには、

「この状態に耐えられる者だけ参加せよ！」

というような厳しさがあった。

「腕が鳴る、腕が鳴る」

そういいながら、準備万端整えてきた彼女はニタッと笑った。私のほうはといえば、漫才師のギャグじゃないけど、目の前の光景を見ただけで、

「もう帰ろうよ」

といいたくなってしまったのである。

「あのね、いいな、と思ったものはとりあえず抱えておいて、あとで私に見せなさいよ。舞い上がって変な物やいらない物まで買うことがあるからね。わかった！」

すでに目つきが変わっている彼女の顔を見ながら、私はおとなしくこっくりとうなずいた。

「あたしはこっち、あなたはあっちよ」

彼女はテキパキと指示を出したかと思うと、服が山積みになっているワゴンのもとへ走っていった。私はすでに意気消沈しているので、暗い気分で指示されたワゴンに向かってトボトボ歩いていった。先程から熱気でムンムンしているワゴンのまわりには、びっしりとたくましい女性たちがへばりつき、バーゲン新参者の私には横はいりする余地もない。どうしようと思いながら、グルグルまわりをまわっている私を見て友人は、

「何やってんの。はやく出物を探しなさい」

といいたげに、ワゴンのほうを何度も指さした。しかし満員電車に近い人口密度のところへ、わざわざ入りこむなんて、とてもじゃないけどできない。ところがそのとき、背後からどやどやとバーゲン目あての一団がやってきて、私は彼女たちにどーんと押されて無理矢理参加させられてしまったのである。

私の目の前には四方八方から、まるで千手観音が何人もいるかのように、次から次へと手が伸びてきた。すばやく品物をつかんで手元にひき寄せたかと思うと、パッと放り投げる。その放り投げたものを別の人がキャッチする、といった具合だ。満員電車にもそれなりの秩序があり、不慣れな人がいると調子が狂うのと同じように、私の存在も周囲の人々にとってはとても迷惑みたいだった。

「ちょっと、いいですか」

ボサッとつっ立っているだけの私の背後から、中年女性が声をかけてきた。

「は……」

はいと返事をする前に、彼女はぐいと体をねじこみ、とうとう私ははじき出されてしまった。友人は右腕を品物の山の中につっ込み、左腕には何着ものブラウスやスカート、パンツが確保してある。やっぱりこの場に来た以上、何か戦利品を持って帰らないと来たかいがない。私はあまり乗り気じゃないまま、適当に手をつっ込んで、ブラウス二枚とその袖にからみついていたTシャツ一枚を引きずり出した。どれも私の好みではなかった。それをまたぐいっと山の中に戻し、今度は方向を変えて引きずり出した。まああ納得できるブラウスが姿をあらわした。冷静になってまわりを見回すと、他人の持っているものがとってもよく見える。この山の中にどうしてあんないいものがまざっているのか不思議なくらいだった。気を許すとショルダーバッグを引っぱる人はいるわ、ジャケットの裾《すそ》をつかんで放さない人はいるわ、すさまじい様相を呈していた。

結局私の戦利品はそのブラウス一枚だったが、友人は山のように服を抱えていた。そしてその中から本当に欲しいものを選び、残りのものはまた山の中に戻す。

「とりあえずは自分のものにしておいて、後でその中から選ぶのがコツね」

彼女は満足そうにニタッと笑った。

それから彼女はそのバーゲンで買った服を得意気に着ていた。とてもバーゲン品とは思えない、とみんなに褒められている。しかし私のほうはバーゲン品だから、と自信を持って着られなかった。結局テクニック不足だったので、買う必要もなく自分に似合わないものを買ってしまったわけである。「バーゲンの勝利者になるには絶対に先天的な素質が必要だ」。私は、それからバーゲンのチラシを見るたびに、そうつぶやいてしまうのである。

高級品からうぐいすのふんまで試したけれど、化粧には不向きの私です

私がいままで使った金のなかで、一番ムダだと思っているのは、化粧品に払った金である。子供のときは、母親の鏡台のなかをいじくりまわし、口紅を塗りたくって、オバケのQ太郎みたいな口になっても、自分はきれいになったんだ、と信じこんでいた。

高校を卒業して、一番最初に開かれた同窓会に行ったとき、私は仰天した。OLになったり、進学したりと進路はバラバラでも、みんなこってりと化粧をして、同窓会にきていたからであった。私はただ面倒くさいから、ごしごし顔をあらっただけで、ジーンズをはいていった。あっちこっちから、

「あらー、元気?」

と、声がかかり、手をふりながら女が駆け寄ってくるのだが、誰が誰だか全然わから

ない。目の前にきた彼女の顔をじーっとにらみ、ぶ厚い化粧の下の素顔を想像して、やっと誰だかわかるといった具合であった。学校を卒業して、「これから、きれいになるぞー」という意気込みはわかる。しかし、どうしてあれもこれもと、ありったけの化粧品を塗りたくるのか、わからなかった。なかには、顔面が色盲の検査につかう、色紙みたいになっている子もいたのである。男の子は、彼女たちを見て、あっけにとられ、おびえた目をしていた。私もその恐ろしい姿を見て、

「ああはなるまい」

と心に決めたのであった。

その「ああはなるまい」が災いしてか、私は二十二歳で就職するまで、化粧をしたことがなかった。できればしないで済ませたかったのだが、次長に呼ばれて、

「少しは化粧をしろ」

といわれてしまったので、仕方なくやったのである。しかし、いざやってみると、化粧というのは異常に手間がかかることがわかった。ファンデーションを塗るためには、下地クリームをつけたほうがいい。下地クリームをつける前には乳液、おまけに化粧水に「柔軟」と「収斂」の二種類があるのを知ってビックリした。土台造りから完成まで、約二十分かかった。世の中の女は毎朝こんな手間をかけているのか、と思った。昼間は上司にこき使われ、へとへとになって帰ると、少しでも早く布団のなかにもぐりこみた

いのに、化粧を落さなければならない。本当はそんなこと、したくはないのだが、化粧法のマニュアルには、

「きちんと化粧を落さないと、肌あれの原因になります」

と、堂々と書いてある。

「それなら、昼間化粧をずーっとしていても、肌あれの原因にはならないのか」

と、ぶつぶついっても、マニュアルには、

「お肌を守るために、化粧をしましょう」

と、これまた堂々と書いてある。ところが、いわれるままに化粧をしていたら、顔がぴりぴりしてきた。あわてて化粧品売り場にいって、症状を話すと、顔を塗り固めた美容部員が、

「それならこちらのほうが、よろしいのでは……」

といって、目玉がとびでるような化粧品をすすめる。クリームひと瓶が三万五千円もするのである。私はたまげて、そのまま何も買わずに家に帰った。

いままでやっていたことは、顔によろしくないのはわかったが、まだ色気が残っていたため、今度は低アレルギー性や自然化粧品に手をだした。これまた美容部員が、

「これなら、大丈夫！」

と胸をはって答えたが、やっぱりダメだった。自然化粧品のきゅうり水やへちま水に

もかぶれた。そして、最後に到達したのが、むかしながらの、ぬか袋とうぐいすのふんである。

「これなら平気だろう」

と、風呂に入ったとき、ぬか袋で顔を洗った。朝起きたら、あっと驚く玉の肌が、できあがっているはずだった。ところがやりかたがマズかったらしく、ぬかの成分が、砥《と》の粉のように顔面にへばりつき、それがかわいて地割れを起こしているのであった。最後の最後は、うぐいすのふん。ただの鳥のウンコのくせに、値段がけっこう高かったので、買うときに少しムッとしたが、背に腹はかえられなかったのである。

さらさらした細かい粉末状のふんを、手の平にのせて、温湯でこねこねして顔に塗り、石鹼のかわりに使うのであるが、これも使ったあと、顔がかゆくなったので、ツラの皮が厚い母親にやってしまった。

そして、結局は何もしないのが、私のためには一番いいのである。三十すぎたら、いるものといらないものが、はっきりわかってきた。しかし、このまま、いらないものが多くなったとすると、しまいには仏門に入るしかないのではないか、と少し心配になってきたのである。

化粧してＯＬ姿に変身すれば、男はコロリとだまされると知りつつも……

私は、無印良品の店にいくと、必ずといっていいほど、店員と間違えられる。お店の服は着ていなかったのに、である。いままで間違えられた回数を数えてみたら、五回もあった。店のなかであれこれ物色してると、横で、

「ちょっと、サイズはここにあるだけ？」

という声がする。当然私には何の関係もないから、知らんぷりしていると、さっきよりもっと大きな声で、

「ねえ！」

という。うるさいなあ、どこのどいつがわめいているのだ、と声のするほうに顔をむけると、口紅だけを真っ赤につけた主婦が、目をつりあげて、私のことをじーっとにら

んでいるではないか。私も面白くないから、じーっと見かえしていると、彼女は、

「あら、店員さんじゃなかったの」

と、自分の過ちを、つんけんした態度でごまかし、どこかへいってしまう。と、いうのがだいたいのパターンであった。

考えてみれば、髪の毛はストレート、化粧もせず、白、ブルー、グレーの服をきて、スニーカーを履いていれば、そういうふうに、見えるかもしれない。その証拠に、私がどんなデザイナーブランドのブティックへ行っても、ハウスマヌカンに間違われたことなんかないのである。

私は今から五年くらい前に、毛の長さが八センチくらいの、ショートカットにしたことがある。このときは悲惨だった。道を歩いていると、すべての男の視線が、私をよけていくのである。特に最悪だったのが、ブカッとしたトレーナー、ジーンズに運動靴というハイキングスタイル。私はこのとき初めて「眼中にない」ということばを、身をもって体験したのである。最初は、「シャンプーも楽だし、手入れが面倒くさくなくていいや」と喜んでいたのだが、あまりに相手にされないので、それから、また伸ばすことにしたのである。

すると、ふしぎなことに、外を歩いていても、男と目が合う。髪の毛の長さと、男の視線を感じる度合いは、正比例するといってもいいくらいである。私の顔かたちは全然

かわっていないのに、髪が伸びただけでこれだけの威力がある。

「これは、面白いことを発見した」と、私はそれから、毎日変身実験をすることにした。

自分のみてくれを、簡単に変えられる要素は、服と化粧である。私は手持ちの服を押入れからみんなひっぱり出し、「ハイキングの学生風（ひっつめ髪）」「スーツ姿のＯＬ、キャリア・ウーマン風（ただし化粧なし）」「明るい色の、プリントワンピース姿のＯＬ（化粧あり）」の３パターンをつくりあげた。そして私は、多羅尾伴内《たらおばんない》みたいに、いろんな格好をして、調査をはじめたのである。一番ダメなのは、ハイキング。寄ってきたのは、近所のイヌだけ。果物屋のおじさんにも冷たくされた。次はスーツ姿のＯＬ。この格好で新宿を歩いていたら、少年隊の頭をもっと悪くしたような若い男に、「おねえさん、ボクと一緒に京王プラザに泊まらない」といわれた。よく話を聞いてみると、「おこづかいが欲しい」という。スーツを着ていたので、金だけは稼いでいると思われたらしい。ただそれだけのことであった。そして「輝く多羅尾伴内変身調査第一位」は、「ワンピースのＯＬ（化粧あり）」という、うすうす予想していたものだった。女性雑誌の「男が好きな髪型と服装」という特集をみると、だいたいトップにあげられていたのが、セミロングの髪に、ワンピースというパターンだったからである。この服装をしていたら、暗そうな男が後をくっついてきたし、ハイキング姿のときに邪険にした男たちも、コロッと態度を変えるのである。冷たかった果物屋のおじさんも、たのみもしない

のに、

「おねえちゃん、これ、知ってる？」

といって、得体のしれない果物を、次から次へと奥からもってきて、なつこう、なつこうとする。きっとこのおじさんは、このあいだ運動靴をはいて、すいかを買いにきた女と同一人物だとは、気づいてないらしい。あのときは、「ほらよ」というかんじで、すいかを投げてよこしたのに、こんどは、

「気をつけてね」

などと、やさしいおことばまで、かけてくださる。私は、顔はニッコリ笑いながらも、腹のなかで、「男をだますのって、チョロイなあ」と思った。

今はいろんな服が山ほどでまわっているから、おりこうそうにも、お嬢様風にも、外見だけならいくらでもゴマカせる。うまくいけばこのテを使い、玉の輿にのれるかもしれない。それが身をもってわかったのに、「面倒くさい」と変身もせず、相変わらず無印良品の店員に間違われている自分が、情けないのである。

ワカメちゃん、クリちゃん頭はもう御免、腕のいい美容師求めて幾星霜

私の住んでいる町には、腐るほど美容院がある。あまりにたくさんあるので、電話帳で数をかぞえたら、百十六軒あった。

「こんなに多くて、よくそれぞれの店が成り立ってるなあ」

と思うが、外からのぞいたところでは、それなりに繁盛しているようである。

私は美容院や化粧品店が苦手なので、許されるならば、一生行きたくないくらいである。化粧はしないから、ここ五、六年化粧品店には行かないで済んでいるが、髪の毛は自分では切れないから、そうはいかない。

実家にいたときは、父や母が裁ちバサミでその日の気分にあわせて、ざくざく切ってくれたが、一人暮らしをするようになってからは、いやいや美容院に行っている始末で

ある。

ある人にそういったら、

「それなら髪を伸ばせばいいじゃない」

といわれた。それはそのとおりであるが、人にはそれぞれ事情というものがある。私は高校生のとき、すごいデブだったのにもかかわらず、山伏みたいに髪の毛を伸ばしていた。あまりに毛が多いので、サラサラと風になびくロングヘアー、というようなものではなく、バサバサと音をたてる、まさに山伏のそれであった。

あるとき、転校生がやってきた。その女の子は私の顔を見るなり、

「あなたと前に、会ったような気がするわ」

という。どこで会ったのかなあ、と考えていたら、突然彼女はギャハハと笑い出し、

「わかった。どこかで会ったことがあると思ったら……。ねえ、あなた、ミッキー吉野に似てるっていわれない？」

などと、とんでもない事をいうのである。私はムッとして、

「いわれない!!」

と、きっぱりといい切り、憤然としてその場を去った。そういうニガい経験があったため、絶対に髪を延々と伸ばさないと決めたのである。

親に切ってもらったときは、ザンギリだったのにもかかわらず、一週間もすればそれ

なりにおさまった。プロからみれば、とんでもないカットの仕方だっただろうが、私はそれで満足していたのである。ところが一人暮らしをはじめて、とぼしい給料のなかから、二千五百円をだすというのは、誠に心が痛んだ。同じように一人暮らしをしている友だちにいうと、ちゃんと月に一回、美容院のための予算をとってある。それは女として当たり前のことであるという。私は、

「ふーん」

と間抜けた返事をして帰ってきたのだが、やっぱり美容院に行くのは気が重かった。だいたい、そこではイライラすることばかり起こった。最初のころは、きっちりしたおかっぱにしていたのだが、美容師が、

「たまには気分を変えたほうがいいよねー」

となれなれしくいい、勝手に後ろを刈りあげにしおった。まるで「ワカメちゃん」だった。「太ったカッパ」といった人もいた。その次にいった店では、美容師がみるからに、似合わないヘアースタイルをしていた。ストロング金剛が、モンチッチみたいなヘアースタイルをしてて、似合うわけがないのである。一抹《いちまつ》の不安は的中し、それからしばらくは「クリちゃん」と呼ばれた。

いままで何十人もの美容師に切ってもらったが、

「こいつはスゴイ」

と思ったのはたった一人しかいなかった。

その人は他の美容師とちがって、ぺらぺら喋《しゃべ》らず、自分の仕事に熱中しているところがすごかったのである。美容師にしてみれば、退屈させまいと、いろいろ喋るらしいのだが、そのネタ探しのために、夏休みはどこに旅行したのか、どんな仕事をしているのか、などと、プライベートなことをいろいろと聞かれるのが、うるさくてたまらないのである。まあ、彼らにしてみれば、よかれと思ってやっているのだから仕方がない。ところが問題は、何回かその店に行き、顔見知りになると、明らかに手を抜くようになることである。一番最初は、きちんとやってくれたのに、二、三回通うと、毛先が揃ってなかったり、すぐ形がくずれたりして、不愉快な思いをする。やればできるのに、手を抜くのはよくない。あれだけベラベラ喋る時間を半分にして、その分もうちょっと集中して、マシな仕事をしろ、といいたい。

だから最近は、行く美容院を毎回変えることにした。満足のいく結果を追求すると、こうなる。みてくれは無愛想で、全然かっこ良くも何ともないけど、腕はとびきりいい美容師が私の理想であるが、残念ながら今のところは、あっちこっち歩くしかない現状なのである。

「恋すればきれいになる」のまやかしに乗せて乗せられ、この世の中は丸くなる

男の人は、どうも女の体型や顔の変化に敏感なようである。一日で一キロや二キロ、太ったりやせたりする、自由自在の体質の私は、彼らに会うたびに、

「太りましたね」

「やせましたね」

といわれる。そして、そのあとに必ず続くのが、太った場合は、「運動不足」。やせた場合は「彼氏ができたんでしょ」である。これまで、二キロ太った私に対して、

「彼氏ができたんですか」

などといった男は皆無である。

「女は恋をすると、きれいになる。今まで太っていたのがやせるというのも、その理由

による」と思っているらしい。

「ということは、男はやっぱり、なんだかんだといっても、やせた女のほうがよろしい、と感じているのね」

疑り深い私は、とたんに機嫌が悪くなるのである。

たまには、女友だちにも、同じことをいわれることがある。しかし彼女たちは、無意識のうちに私の周囲に漂うオーラのにおいをクンクンとかぎ、男のにおいがしないことがわかっても、

「彼氏ができたんでしょ」

といって、意地悪をする。

あるとき、そういわれて私は、

「そうなの。やっぱりわかった？」

といってみた。すると、一瞬彼女の眉毛がピクッと動いた。顔がこわばったかと思ったら、一転して満面に笑みを浮かべ、

「わかるわよお。このあいだ会ったときと、全然、雰囲気が違うもの」

という。その声は、明らかにうろたえていた。私は、「まさか」と「こんなはずではなかった」が、いっしょくたになって、うずを巻いている彼女の心中を考えると、おかしくてたまらず、つい笑ってしまったので、ウソをついたのが、すぐバレてしまった。

だいたい、女が同性に対して、

「彼氏でもできたんじゃないの」

といったときには、そのあとに続く、

「きっといないと思うけどさ」

というフレーズが省略されている。本当に彼氏ができたな、と感じた同性に対しては、言葉などかけず、彼女の行動をじとーっと見つめて、「ふむ、やっぱりな」と、心ひそかに、悲しく納得するのである。少なくとも、私の場合はそうである。


ダイエットしたり、化粧にはげんだり、きれいになろうと努力するのは、まず、男をつかまえるという問題より、巷の他の女よりも、少しはマシになろうという魂胆である。その結果、男がみつかればめっけもの、という女同士の暗黙の了解があるからこそ、こういうことになるのではないか、という気がする。

ところが、男性の場合は少し違うようで、どうも彼らは、「女は男のためにきれいになろうとし、男のおかげできれいになる」と、おめでたく考えているようである。私の経験からいうと、そこまで私を変えた男など、いなかったのである。私が前にくらべて、少しマシになったと思ってくださるかたがいたとしたら、それはひとえに私個人の忍耐と努力のたまものであって、男性のおかげではないのである。

森昌子と森進一が結婚したとき、レポーターたちの、

「昌子ちゃんがきれいになったと思ったら、やっぱりこういうことになりましたね」

という発言を、何百回となくきいた。あれだけきれいになった、きれいになったといったら、かえってイヤミになるのではないかと、思われるくらいであった。それなのに、

「森進一さんも、昌子ちゃんとつきあって、男前になりましたね」

などという発言は、きいたことがない。

「女は、いくつになっても、恋をするということを忘れてはいけません。恋は女を美しくするものです」などということばは、うさんくさくて嫌いだ。ただ男も女も、そう思わされているだけである。そういっておけば、世の中が丸くおさまる。ともかく、女が蹴落《けお》とす相手というのは、まず女である。

私なんぞ、だんだん歳をとるごとに、世の中の女たちの「中程度」を維持するのは、大変になってきた。なるべく現状維持で、このままいきたいと願ってはいるが、砂の山のごとく、明らかに日々体型や顔面は崩れていくのである。男性が、

「彼氏ができたんでしょ」

というたびに、私は腹のなかで、「そんな悠長に、いっていられる問題ではないわい」と、ムッとしつつ、

「いやあ、ぜーんぜんダメですよ」

と、心中を悟られまいと、明るく答えてしまうのであった。

剃ってまで何故にそんなに見せたがる
最新流行ハイレッグ水着の摩訶不思議

先日、主婦の友だちの家に遊びにいったら、テーブルの上に雑誌が山のように積んであった。それを前に彼女はニコリともしないで、

「ちょっと、これ見てよ」

といってグラビアを開いた。そこには大胆な最新型水着を着た女たちが、国籍を問わず肌を露出している。ハイレッグはいうに及ばず、妊婦用の腹部だけまあるくくりぬいてあるもの。やたらヒモだらけのもの。なかにはどうやってつけているのかわからないが、ポルノ女優の前貼りみたいに、股間にへばり付いているだけといったものまである。

そういえばテレビで使い捨て水着を紹介していたが、それは胸と股間に原色の花模様などをプリントしたシールをただぺったり貼りつけるだけのもので、じっと見ていたら子

供の頃、足に貼ったトクホンを思い出し、剝がすときはさぞ痛かろうと思われる代物だった。

「ねえ、この人たち、どうしてこんな水着が着られるの」

彼女は相変わらずマジメな顔をしていう。この彼女は通販で「簡単に抜ける脱毛器」を買ったはいいが、腕や足で試した結果、あまりに痛くて本来使いたかった部分に使えなかったという。毛が抜けなかった恨みがいまだに根強くあるようで、他人の「毛」にたいして異常に敏感なのである。

「どうしてったって、ちゃんと手入れをしているんじゃないの」

「手入れ？　どういう手入れよ！　毛って毎日毎日伸びるのよ」

「だから毎日やっているんでしょ」

「うーん。だってこんなの信じられないわ」

彼女は金髪美人の水着を指さした。それはハイレッグなどという生易しいものではなく、ただ単に股間に五センチ幅のヒモをあてがっているだけだった。彼女はそのグラビアにじーっと目を近づけ、

「毛っていうのは朝剃ったって、午後になると伸びてきてゴマシオ状になるのよ。この写真じゃよくわからないわねえ」

などと妙に詳しく、真剣に点検しているのでびっくりした。

「うまれつき生えてなかったのかもよ」

私がそういっても、彼女は、

「それだったら思春期に悩んで、ミクロゲンパスタでも使っているはずだ」

ときっぱりといいきるのである。

「あなた、そんなに気になるっていうことは、こういうのを着たいわけ」

私が麦茶を飲みながら聞くと、彼女はポッと赤くなって、

「うん」

といってうつむいてしまった。私はこんな水着は着たいとも思わないから、乳が出ていようが尻が出ていようが、毛がどうなっていようが、

「あーら、大胆」

で終わってしまうが、自分が着たいと思っていて着られない事情がある人には、これは重要な問題であるらしい。

「三十過ぎてるんだし、ちゃんとダンナもいるんだからハイレッグはやめたら」

そう忠告しても、彼女は、

「だって年齢的に今が最後のチャンスなんだもん。私一回でもいいから着たい」

と訴える。しかしハイレッグ水着を着てかっこつけていても、よく見たらかみそり負けができたりしていたらみっともないではないか。それよりも何の心配もなく、隠すべ

きところはきちんと隠してくれる水着のほうが、よっぽどいいではないのといっても、泳ぐのが目的ではない彼女としては納得できないらしいのだ。つまり自分のスタイルには自信がある。世の人々に見ていただきたい。しかしそれを邪魔しているのが「毛」なのである。

私は女性週刊誌で読んだ話を彼女に聞かせた。「黒いハイレッグを着て彼とプールにいったら、『糸がほつれている』といわれて引っ張られた。しかしそれは剃り残しの毛だった」とか「友だちと泊まりがけで海にいき、明日はハイレッグを着ようねと相談して寝た。夜中に変な気配がするので起きてみたら、友だちが背を丸めて十円玉二枚を使って必死に毛を抜いていた」など、笑うに笑えない悲惨な話が続々と寄せられているのである。

話をきいて彼女も少しは考え直したようだが、まだハイレッグへの思いをたち切れないでいるらしい。何でこんな事までしてああいった水着を着たいのかわからない。「腋《わき》も剃るなら下も剃れ」という簡単な問題ではないのではないか。なぜ人体の毛のあり方を無視した水着が次から次へと出てくるのか、ホントに理解できないのである。

〽夏が来れば思い出すパンチのおばさん
青うなじ♬という訳で「珍」な髪型特集

夏になると若い女性の格好が大胆になる。男性からすれば肌を露出してくれるので楽しいだろうが、私の場合はそういう姿を見ても、自分のぶるぶるする二の腕を考えるとちっとも面白くないので、見て見ないふりをすることにしている。そんな私が最も興味をそそられるのは、おばさんたちの夏場の大胆なヘアースタイルである。

何年かまえの夏、繁華街の人込みの中にヤッちゃんの姿をみつけた。きっちりと頭にはパンチパーマをかけ、白いポロシャツを着ている。うなじにはもりもりと贅肉《ぜいにく》がもりあがっていて、いかにも中年といった感じの人である。ところがじっと後ろ姿を見ていると、どうもおかしい。髪型はヤッちゃんなのだが何となくぶよぶよしている。おかしいなと思いながらふと彼の足元を見て、私はギョッとした。そのヤッちゃんがギャザー・スカートをはいていたからであった。それがパンチパーマのおばさんとの、初めての出会いであった。

「どこでこんな頭にしたんだろうか」

彼女のあとをくっついて観察した結果、贅肉がもりあがったうなじの剃り跡も青々としていて、いかにも夏場だからばっさり切った、という雰囲気であった。私はパンチパーマにしてしまった美容院を探し出して、

「どうしてあんなふうにしたの」

と聞いてみたくなった。やっぱり、

「パンチパーマにして下さい」

とおばさんがたのんだのだろうか。それとも、手入れが簡単で涼しい髪型といわれて、美容師が、

「それならパンチパーマしかないですよ」

とすすめたか、どちらにしても何か思惑がない限り、あんな髪型にできるはずがない。たしかにあれだけ髪の毛が短ければ本人はとっても涼しいとは思うけれど、端からみるとあんなに暑苦しいものはない、というのがおばさんのパンチパーマの問題点なのである。

パンチのおばさんの連れもだいたいパンチである。パンチ・シスターズなんである。

ぷよぷよ体型のパンチパーマが二人並んでいると、相当の迫力がある。そういう髪型にするならいっそスポーティーな格好をすればよろしいのに、ごてごてとお飾りのついた、いくら太っても平気な伸縮自在のサマーセーターに、風がガバガバと通り抜けるギャザー・スカートなんぞをはいているから、よけい妙なのである。なかには夫らしき男性と連れだっているパンチのおばさんもいる。彼はふつうのおじさんである。

「おじさんも、おばさんが気にいって結婚したんだから、ひとこと『かあさん、パンチパーマは似合わないよ』くらいのことをいってやりゃあいいのに」

と、私はふたりの後ろにぴったりくっついて、おばさんの青々とした太いうなじと、おじさんの小さなほくろやシミがたくさんある細い首を交互に見ながら、彼らの家庭での力関係を悟る。別におばさんがパンチパーマだろうがモヒカンだろうが弁髪だろうが、私のほうは痛くもかゆくもないわけで、

「いくらなんでも女なんだから、そりゃあないだろうよ」

と、いいながらも珍しい生き物を見る感覚で面白がっているのだ。

そろそろおばさんのパンチパーマに見飽きたところ、ついこのあいだ、超ド級のすばらしい髪型をしたおばさんに出会った。パンチのおばさんのように、カニのような体型ではなく、すらっとしていたうえにべっとりと真っ赤な口紅までつけていたので、目立ってしまったのはお気の毒であった。うりざね顔というか、やや面長すぎる顔に眉の上

でスパッと切り揃えた前髪。

「あらまあ、ずいぶん個性的」

と思いつつ横顔を見てびっくりした。何と耳の上のほうまでずーっと刈りあげになっていて、青々としている。朝シャンをしてぷるぷるっと二、三回頭を振れば、すぐに乾いてしまう簡単な頭である。パリコレでこんな頭をした金髪モデルを見たことがあったが、平たい顔をした面長の東洋人のおばさんがそうすると、まるで「おそ松くん」に出てくるハタ坊にそっくり。

「惜しい。頭に日の丸の旗さえ立ってれば完璧だったのに……」

彼女は相当の覚悟のもとで刈り上げたと思うのだが、残念ながらアバンギャルドすぎてマンガに似てしまったという感じであった。若い女性が浅野ゆう子もどきになって後ろ姿では全く区別がつかない現在、夏のおばさんたちの変身はとても大胆である。しかしどれもこれも「珍」としかいいようがない。こちらに迷惑をかけられるのはごめんだが、人の目など気にせず我が道を行くおばさんたちがもっとふえて欲しい。そしてこれからももっともっと「珍」なことをして、私を楽しませて欲しいものである。

すれちがう娘がみんな同じ顔
渋谷の雑踏で見たＳＦ的光景

　昨日用事があって何年かぶりで渋谷を歩いた。私は出不精で家の中でゴロゴロしているのが一番好きというタイプの人間であるから、今、盛り場がどうなっているかという情報にひどくウトいし、東京で生まれ育ったにもかかわらず未だに東京の地理が全くわからないのである。

　土曜日の渋谷というのはすさまじい人出だった。ハチ公のまわりはものすごい人だかり、スクランブル交差点や歩道にも人があふれている。そのほとんどが若い大学生風の男の子や女の子である。一人で歩いている姿はほとんどみかけず、徒党を組んで楽しそうに歩いているグループばかりだ。男の子のいでたちは上はポロシャツに下はコットンパンツ、肩にはデイパックをかけている。一時はやりだった色黒歯白サーファーボーイは少なくなっておとなしそうなお坊っちゃん風が多く、どういうわけか皆お尻が小さいのである。地べたに根をはっているようなしっかりとした下半身を持った子にはお目にかかれなかった。女の子はというとセミロングの髪の毛に半袖のサマーセーター、パステルカラーのミニスカート、白いペタンコの靴をはいてすんなり長い足で闊歩《かっぽ》していく。

道行く彼らを眺めながら、

「今の子はスタイルがいい」

とつくづく思った。私は小学校の給食の時にアルミカップにそそがれた脱脂粉乳を担任の先生に無理矢理飲まされた世代である。毎日毎日ホントに涙が出そうだった。後日、あの脱脂粉乳というしろものが、実はブタのエサだったときいて、

「ブタのエサなんか飲まされたからブタみたいになってしまったじゃないか！」

と本当に頭にきた。

私のまわりを歩いていたこの若者たちは、ちゃんと牛乳ビンからミルクを飲んだ世代である。だから彼らの後ろにくっついて歩くと彼らの臀部《でんぶ》が私の胃のところにあるような気がする。胴長短足の私はカックリとこうべを垂れて彼らの尻にかこまれて歩くしかないのである。そしてしばらくそうして人波にもまれていくうちに、不思議なことに自分は歩いているはずなのにひとっところに止まっているような錯覚に陥る。通りすぎていく彼らの顔をみていると、

「あれ、あの子とはさっきすれちがったんじゃないのかな」

と感じ、特に女の子はホントに何度も何度もＶＴＲをまわしているんじゃないかと思えるほど同じ顔、同じスタイルでカッコイイビルの中からわいて出てくるのだ。そして友だちと肩を叩きあい、きゃぴきゃぴ騒いでいる姿も全く同じ。都会の雑踏のＳＦ的光景であった。テレビやラジオでいわれているように、やっぱり今の若い女の子っていうのは個性がないんだなあ、と渋谷を歩いてそう思った。中で個性的なのを捜そうとすると、後頭部の毛を全部剃っているかわりにその分前髪が鼻まで垂れ下がっている女とか毛がツンツンに立っていて真っ赤なワカメみたいにビラビラした服を着ていたりとか、仮装行列のようで、極端なのである。

同年配の男の子たちは彼女らのことをどう思っているのか、私の勤めている会社でアルバイトをしている男の子にきいてみた。彼は家賃二万の四畳半の間借り生活ながら、フジテレビの女子大生番組「オールナイトフジ」を録画するために月一万の月賦を払ってビデオを購入したという人である。

「あなた、女子大生なんてみんな同じ顔して、同じようなことしか言わないじゃないの。高いビデオそんなもの撮るために買って、田舎の御両親もその事実を知ったら悲しむんじゃないの」

というと、

「いやあれは生活のうるおいですよ」

彼はニコニコしながら言う。夜、四畳半の部屋でひとりじっとしていると、もうめったやたらとくらーくなってしまい、むなしくなってくる。そのとき録画しておいた、かの「オールナイトフジ」をセットする。するとキャーキャー華やいだ声とミニスカートが殺風景な部屋にあふれる。その姿を見ていると自然に頰がゆるみ、とっても幸せな気分になるんだ、などという。

「ボク、もう見てるだけでいいんです。電車に乗ってて女子大生がグループで乗ってきたりするでしょ。ああいう日は一日中気分がいいんですよ、アハハハ。いくら外見は同じでも中身は女ですからね。何でもいいですよ」

中身は女という生々しい発言が多少気にはなったが、ああだこうだといろいろいわれても、誰かの役には立ってるんだと感心したが、やっぱり私はこのテの女子大生というのは不気味としか思えない。

ところがきのう、会社の近くのスーパーマーケットに買い出しにいった時のことだ。ちょうど昼食時にぶつかり、まわりのビルからは制服にサンダルをつっかけたOL、ネクタイをゆるめながらガニ股で歩くサラリーマンのグループがこれまた渋谷の街のようにわいて出てきた。

「ああ、典型的日本のオフィス街風景……」

と思いつつスーパーの袋をブラブラさせながら歩いていたら、そばにあるこぎれいな定食屋から、次々に四、五人の中年のサラリーマンが出てきた。どの人も四十代後半といった年まわりである。トボトボと同じ方角にむかって皆、判で押したように白い半袖のワイシャツを着て、ネクタイを中途半端にゆるめ、背広を〝小林旭の渡り鳥シリーズ〟風に肩にかつぎ、歯の間に楊子をつっこんでシーハーシーハーやりながら歩いていった。おじさんたちは他の人が何をやっているか見えないから仕方ないとしても、それを見て、

「ゲゲ、気持ち悪い」

と思ったのは偽らざる事実である。女子大生と中年のおじさんのああいった姿は何かもの哀しいなあ、と会社に帰る道すがら考えたのであった。

化粧品売り場にたむろする青年は口紅眉墨ファンデーションで、男前一丁上がり！

先日デパートの化粧品売り場の前を通りかかったら、若い男の子が二人そこでじっとたたずんでいる。学生風でちょっと服装に気をつかっているといった感じのいわゆるシティ・ボーイである。何となく周囲の視線を気にしつつも彼らはある一点をじっとみつめ、美容部員のおねえさんが近付いてくるけはいをみせるとツッとそこから離れ、彼女がまた別の女性客の相手をしはじめるとまたもとの位置に戻り、ヒソヒソ話し合っている。何をしているんだろうかとさりげなく彼らの背後にまわって偵察すると、彼らがさっきから視線をそそいでいたのは某化粧品会社が売り出した男性用の化粧品のセットであった。以前から化粧水とか乳液などは発売されていたが、今度はファンデーション・口紅・眉墨という大胆なトリオなのである。

「オイ、どうする、お前」

一人の男の子が隣の子にいった。

「どうするったって、買いにきたんだろ」

「うーん、だけどさあ、やっぱしなあ」

「しようがないじゃないか、ここまできたんだから」

「そうだなあ」

彼らがモジモジしているのをさっきから見ていた美容部員のおねえさんは今度はタイミングをのがさず、

「なあに、この化粧品欲しいの？」

とニッコリ笑って優しくたずねたのである。そういわれた彼らはさっきのように逃げるわけにもいかず恥かしそうに笑ってこっくりとうなずいた。こうなったらプロである美容部員にかなうわけがない。網にかかった魚と同じで、

「あーら、だからさっきからここにいたのね。恥かしいの？　大丈夫、大丈夫。時間あるんでしょ、ちょっとためしてみたら、それで決めればいいわよ」

という甘い言葉にのせられて、彼らは売り場の中にある鏡台の前に座らされ、化粧されることになってしまったのである。驚いたのは私のまわりにいた中年のおばさんたちであった。

「ちょっと、奥さん、ホラあれ見て。男の子が化粧してもらってるのよ。まあ、あたし初めてみたわ。ちょっと面白いわね、いったいどうなるのかしら」

おばさんたちは両手にデパートの紙袋を下げ、仁王立ちになってじーっと事の成り行きをみつめている。通りかかったカップルも興味深そうに足を止めたりして、彼らは格好の宣伝材料となってしまったのだった。そういった状況で美容部員のおねえさんがはり切ったのはいうまでもない。手際よくファンデーションを顔にのばし、見世物となってしまった彼らに手鏡を渡して、

「ほらね、不自然じゃなくて陽に焼けた感じになるでしょう」

と得意気にいう。彼らはまわりの視線に多少照れながらも鏡をのぞきこんで、まんざらでもなさそうな顔をしてニタッと笑っている。

「ファンデーションだけでも変わるけど、これを使うともっと感じが変わるわよ」

美容部員はそういって眉墨を使いはじめた。この威力は絶大だった。今まで整ってはいたが何となくしまりのなかった顔がその眉墨によってキリッとひきしまってみえたのだ。

「ほら、ね。ずいぶん顔が小さくみえるでしょう。ファンデーション塗っているようにもみえないし……どう？」

そういわれて彼らは、

といいながらもまんざらでもなさそうにニヤニヤしている。おばさんたちは、

「あらホントに男前になったじゃないの、ねえ」

と感心している。結局彼らはそのファンデーションと眉墨、口紅の大胆トリオを買っていった。確かに化粧をして彼らは男らしい顔にはなったが、化粧してそのようにみせるというのも不思議なような気がした。

ところが先日新聞を読んでいたら、その化粧品が予想以上に売れているという記事が出ていた。売り出した当初は学生が主だったのだが、営業マンが得意先の印象を良くするために買い求めていくケースもふえてきたとのことだ。女だって素顔よりも化粧したほうが肌もきれいにみえるしマシにはなる。しかし男性までそういうことが必要なのかというと私の頭の上にはクエスチョンマークがついてしまうのである。

以前私と同年配の男性が、

「ボク、デパートのウィンドーに飾ってある洋服をみて、あれ欲しいなあって思うんだけどいつもお金がなくて買えないんだ」

というのをきいてビックリ仰天したことがあった。まさか男性が女性のようにデパートのウィンドーをみて洋服を欲しいと思うなどと考えたこともなく、

「なんだ男も女もたいして変わりないんじゃないか」

と納得したのだけれど、それは若い世代だけに共通しているのか、それとも昔から男性がそう思っていても、

「服装や身だしなみのことを男がとやかくいうのはみっともない」

という面子《メンツ》とやらがそれをはばんでいたのかはわからない。人前で化粧をしてもらったり、メンズブティックのバーゲンセールにむらがったりすることに抵抗のない若い男の子たちはこれからもっといろんなことをためしていくにちがいない。化粧もだんだんエスカレートしていって頰紅を入れたり、アイシャドーも塗りたくるようになるかもしれない。次にはスカートをはきたがる人も出てくるだろう。そうなるとストッキングをはいてハイヒールをはいて……などと考えていくともう何がなんだかわからなくなってくる。ま、私としては将来そういう事実に直面しても動転しないように、いつも若者風俗にちょっぴり首をつっこみつつそれについていけるようになろうと思っているのである。

シェイプアップに水泳しよう、心掛けはよかったが……いまだ越せない水着の壁

私は部屋の中でごろごろしているのが一番好きだ。当然運動不足である。そのうえ朝昼晩三食をおいしいおいしいといって食べていれば、あっちこっち肉がゆるんでくるのは当たり前である。いつまでもこういうことをやっていてはいけないなあと反省しながら、運動を始めるには何がいいかといろいろ考えてみた。まず三日坊主を防ぐために、友だちと一緒にやるという方法がある。これも人選に気をつけなければいけない。私と同じ性格だと二人してすぐ、

「やめよう、やめよう」

ということになるので、執着心のある人を選んだ。主婦の彼女は子供もいないし、昼間はでかけられる。ところが彼女に電話をかけてみたら、

「あたし運動なんか大嫌い」

という。

「どうして」

「あたし、体弱いの」

私は彼女と十九年以上つきあっているが、そんなこと初めて聞いた。朝いちばんにデパートのバーゲンセールの人込みの中に突進していくあの根性と、いいものを買うまでは絶対に妥協しないで、ワゴンの中をひっかきまわし続けるには、なみなみならぬ執着心と体力がいると思うのだが、本人は、

「すぐめまいがするの」

と平然としていっているのだ。嫌というものをむりやりひっぱりだして、倒れられたら困るのでこの案は取りやめである。相手がいなければならないテニスなどもちょっと面倒だ。あれこれ考えた結果、自分一人で気楽にできて運動量の多いものといったら、水泳くらいのものなのだ。私は自慢ではないが、体型的に絶対沈まない自信がある。平泳ぎはできないけれど、別にオリンピックに出るわけじゃないから、ばた足でも背泳でもともかく泳いでいるだけで運動になるはずである。

となると問題は水着である。運動しにいくんだから何でもいいじゃないかといわれそうだが、やっぱりジャージじゃ泳げないんだから、裸に近い格好を少しでもスマートに

みせたい。季節がら、女性雑誌にいろいろな水着が紹介してあった。競泳用みたいにシンプルなものから、どこをどうやったらこんなものが着られるのかと疑いたくなるような露出度の高いものまで、デザインの多さには驚くばかりである。だいたいこういう場合、必ず新製品と共に体型の欠点をかくすデザインが紹介してある。しかしいくらスマートに見える水着といったって、着ているモデルが細いんだから、いくらそう書いてあっても何の役にも立たないのが常である。いくら下半身が太い人向きとあっても、モデルがちっとも下半身が太くないから、全く説得力がないのだ。

毎月アメリカの女性雑誌を定期購読しているのだが、さすがあちらはいろんな体型の人がいるせいか、水着の紹介の仕方も正直である。日本の雑誌みたいに、太った人向きといいながら、蚊トンボみたいなモデルが着てごまかしているのと訳が違う。太っている人向きには本当に太っている人、ずん胴の人向きには本当にずん胴のモデル、胸が大きい人向きには、ホルスタインみたいな人がにっこり笑っているし、ふとももの太い人向きにはみごとなまでに、足のぶっとい人が登場しているのである。お尻の垂れたモデルまで登場させるほど、神経が行き届いている。ちなみに彼女はお尻以外の用はないので、ずっと後ろ向きの写真しかのってなかったが、水着によって垂れ尻がカバーされているのはよくわかった。顔よりも垂れたお尻で勝負するなんて、モデルの彼女もなかなか見上げたものである。このように彼女たちが文字通り体を張って着て見せてくれているから、体型がこうだから何を着ても似合わないというのではなくて、デザインを選びさえすれば、ちゃんと体型をカバーできるんだなあと納得できるのだ。

似合わない水着と体型をカバーしてくれる水着とでは、見た感じが全く別人のような印象を受けるものさえあった。私は体型を目立たせたくないから、変にデザインに凝るよりも、スクール水着や競泳用水着のように、水着の原点みたいな型のほうがいいのではないかと思っていたのだが、この雑誌のグラビアを見たらそうではないようだ。だれにでも似合いそうで、実は欠点をあらわにしてしまっていた。ずん胴の人は特に悲惨だった。あれはもともとプロポーションのいい人だけに似合うもので、あちこちに難ありの人には、ちょっと小細工がしてあるもののほうが、目をごまかせていいということも、この雑誌を見てわかったのである。

「なるほど」

私は深くうなずいた。そしてこの水着選びの話を、体が弱いといって私の誘いを拒絶した友だちに話した。すると彼女は、

「本当に運動したい人は、いちいちそんなこと考えてないわよ。泳いでいれば腕とか足しかみえないんだから。運動をしたい人は水着を買うより先に、スポーツクラブに足を向けるんじゃないの」

という。しゃなりしゃなりとホテルのプールサイドを歩くのではなく、ガッパガッパ

と泳ぐのが目的なのである。それには変に小細工してあるよりも、スクール水着タイプのほうがふさわしいだろう。しかし、あの雑誌のグラビアを見てしまったら、どうもあれを着る気にはなれない。ところが、どの水着を買ってプールにいこうか悩んでいるうちにだんだん、水泳をしたいという気持ちさえ薄れてきてしまったのだ。その後、彼女が電話をかけてきて、

「プールに行ってるんでしょ」

と触れられたくない話題を持ち出した。相変わらず私はごろごろしている。

「きっとこうなると思ってたわよ」

彼女のひっひっひという、あざけりの笑い声を聞きながら、私は「我ながら情けない」とため息をついている。

女ガキ大将から天才ピアニストへの夢があえなくついえたソナチネの日々

会社勤めをやめて物書き専業になったとき、インタビューに来る人たちは必ずといっていいほど、

「小さいときから、こういう仕事につきたかったんでしょう」

といった。本を読むのは好きだったが、私が小さいときになりたかったものは他にあった。それはピアニストである。親にいわせると、私はとてつもなく変な子供だったらしい。近所の子供とも仲良くしない、こまっしゃくれた口をきいて大人たちをギョッとさせる。幼稚園は中退するハメになる。大人が喜ぶ子供らしいところなどみじんもなかった、にくたらしい性格だったのである。

「こんな性格の子はいったいどうしたらいいか」。両親が相談した結果、私は突然、児

童劇団に入れられてしまった。ところがそこの稽古は、全然面白くなかった。仏頂面で手を上げたり足を上げたりしている私をみて、また両親は頭を抱えてしまったのである。するとそれを見たリズム指導の先生が、

「ピアノを習わせたらどうですか」

とアドバイスしてくださり、私は近所のピアノ教室に行くことになったのだ。

うちの父親はジャズばっかり聴いている人だった。母親の妹は声楽をやっていた。両親は「もしかしたらこの娘は、天才的な音楽家になるかもしれない」と、親バカ丸出しで自分たちが将来「世界的ピアニスト」の両親となるのを夢見た。てっとりばやくいえば、私の将来のことよりも、いかにして将来左うちわで暮らせるかを考えていたといったほうがいいかもしれない。しかしピアノを習いに行ったのは正解だった。どんなに外で近所の子供たちをいじめまくっていようと、どんなに駄々をこねていようと、ピアノのレッスンの時間が来ると、バイエルを真っ赤な鞄に入れて先生のところに通っていった。私の蛮行に手を焼いていた両親は、こういう姿をみて、

「これこそ娘にぴったりあった世界だ。そういえば天才は子供の頃は一般社会から受け入れられなかったもんね」

と大喜びし、つましい暮らしのなかから、中古のピアノまで買ってくれたのである。

ピアノを弾いていると楽しかったし、何よりピアノが好きだった。イライラしたこと

もあったが、うまく弾けると先生が赤い大きな花丸をくれる。それまで私は人に誉《ほ》められたことがなかった。近所の男の子をいじめれば、親から、

「本当にお宅の娘はひどいことをする」

と、ねじこまれる。親はそのときはとりあえず謝るのだが、帰ったとたんに、

「女の子にいじめられる男の子のほうがだらしがない。あんな意気地なしでどうする」

といった。私を認めてくれるのは両親しかいなかったのである。ところがピアノを弾いていると他人である先生が誉めてくれるのだ。バイエルが終わりブルグミューラーにすすんで、タイトルがついた曲を弾くようになると、両親は、

「何と上手になったことか。私はこの曲が好きだからもう一回弾いて」

と騒ぎたてた。私は迷惑半分、得意半分でリクエストに応じていろんな曲を弾きまくった。きっと両親は、

「これでピアニストの親になれる」

とほくそ笑んだに違いない。しかし私のほうは将来ピアニストになるなどと、この時点では全く考えてなかった。ただ先生に誉められたい一心だったのである。

このとき私はまだ挫折を味わっていなかった。うまく弾けなくても次にレッスンに行くまでには、見事な五重の花丸をもらうくらいになっていたのである。ソナチネの四番がうまく弾けたとき私は自分でも、

「もしかしたらこの調子でいけば、ピアニストになれるかもしれない」と思った。ソナチネを弾き、ハノンの音階練習をしていると、両親は背後で、

「こりゃあもう本物だ」と目を丸くして驚嘆した。

ところが私にとっては、ソナチネからは苦労の連続だった。せっかくピアニストへの道が開けてきたというのに、私の手が一向に成長してくれない。オクターブがやっとなのである。こんな具合では曲だって完璧に弾くことなんかできない。先生は、

「手が届かないんだったら、ここはこういうふうにしましょう」

と楽譜を私が弾けるように直してくれた。しかし曲がだんだん難しくなっていくにつれ、楽譜の直しが多くなってきた。とにかく和音が楽譜どおり弾けないのだから、どうも間が抜けている。それがとってもむなしかったのである。

「趣味で楽しく弾ければいいじゃないの」

先生はなぐさめてくれたが、趣味でピアノを習うというのがとてもぜいたくなことのように思えてならなかったのだ。

どうにもならない身体的な問題を抱えて私は悩んだ。そして結局ピアノはやめてしまった。両親は時さえ待てば、娘はピアニストになれると信じて疑わなかったので、とてもビックリしたが、手が小さいのも自分たちの責任だと思ったのか何もいわなかった。

それ以来、私は全くピアノの練習をしていない。なまった指は「エリーゼのために」

とかブルグミューラーが弾ければいいほうである。しかしピアノが少しでも弾けるといいこともある。友だちの家に遊びに行って、彼女の子供が「いろおんぷ」をたどたどしく弾いたあと、私が「貴婦人の乗馬」を弾いて見せるととてもウケがいいのである。いつ行っても「ピアノのおねえちゃん」といわれて尊敬のまなざしを向けられる。ピアニストの夢ははかなく消えたが、今では、

「おねえちゃん、すごーい」などといわれることに、ささやかな喜びを感じている。

本が売れれば売れるほど我が恥も広まる
作家の娘を持った母の頭痛のタネ

私の最初の本が出版されたとき、何よりも喜んだのは母親だった。当時勤めていた会社の同僚、友人、親類縁者はもとより、隣近所の奥さん方、御用聞きのお兄さんたちにまで、

「今度うちの娘が本を出すんですよねー」

といってはしゃいでいた。そのとき彼女はまだ本の内容を知らなかった。自分が登場することも知らなかった。

「あんまり騒ぐとみっともないからやめなさいよ」

私は絶対、あとでひと悶着《もんちゃく》あるのを予想してクギをさしておいたが、彼女のはしゃぎようはとどまるところを知らなかった。書店に行っては、

「群ようこの本、ありますか」と聞き、自分の娘の名前を書店員に印象づける、ということを頼みもしないのに勝手にやっていた。ところが世の中の人は本当に善人で、母親から本が出ることを聞いたほとんどの人が本を買ってくれた。そして母親の姿を見ると、

「あれ、本当に面白かったわよ」

と誉めてくれたというのであった。

「おねえちゃん、評判いいわよ」

まだまだこのときも、彼女は本を読んでいなかった。そして、ひととおり個人宣伝活動もすみ、胸をワクワクさせながら本を読んでいくうちに、だんだん元気がなくなっていった。そして読み終わったころにはすっかりしょげかえっていた。本の中には、ふだんのとんでもない自分が描かれていたからである。口が悪い。良からぬ人間に対して面と向かってすぐ糾弾《きゅうだん》する。妙におっちょこちょい。自分の失敗は笑ってすませ、他人の失敗を厳しく追及する性格。結局まわりの人々が本を読んで笑っていたのは、自分のことだと知って愕然《がくぜん》としたわけなのだ。

「だからペラペラよけいなことを喋《しゃべ》るなっていったでしょ」

多少彼女の性格を受け継いでいる私が、厳しく追及すると、

「だって、本が出るのがうれしかったんだもん」

とブツブツつぶやいている。

「うれしかったら、自分の胸の中だけでうれしがってればいいの！」

「あたし、じっと黙ってるなんて性格的にできないんだよね。ねぇ、トラちゃん」

猫のトラに助けを求めても、トラは寝そべってあくびをしながら知らんぷりしていた。

この一件で彼女は、あまりはしゃぎすぎるのは問題だとやっと悟ったようだった。周囲の人からはサイン本の注文はとってくるわ、なじみの書店員さんには、

「バンバン売ってね！」

とハッパをかけるわ、結構派手にやっていたからだ。本の拡販活動をすればするほど、自分の恥が露呈されるからである。それからは、私の本が出る前には、

「おねえちゃん、今度の本に私、出てくる？」

と必ず聞く。

「あたりまえでしょ。それしかネタがないんだから」

「ふーん」

そういったっきり、彼女はぷっつりと拡販活動はしなくなった。それから会社も変わったため、新しい勤め先の人は彼女が、「例のすさまじいあの母」である事実を知るよしもなかった。

ところが、性格というものはすぐには直らない。あるとき会社の女の人と雑談をしていたら、彼女が、

「私、群ようこのファンなんですよね。この人の本、読んだことありますか」

と母親にいったことがあった。ここまでいわれて事実を黙っておけるような人間ではない。

「実はうちの娘なの」と、とうとう告白してしまい、この話はあっという間に社内に広まってしまった。それからが大変だった。社員の若い女の子の一団がやってきて、母親の顔を見て、

「わぁー、そっくり、そっくり」

といってはしゃいでいる。正直にいって私は、この発言には不満がある。そして、

「あのー、おかあさんの嫌いな食べ物って、ところてんですか」

とたずねたりする。

「うん、ところてんは嫌いね」

と答えると、

「わぁー、やっぱり本に書いてあったのとおんなじだぁ」

といって大喜びするというのである。彼女たちは、本に書いてある姿がウソではなくて、本当にあのままだったということがおかしいらしい。

「いいじゃない。喜んでもらえて」

母親を売り物にした手前、後ろめたい私がそっとフォローすると、

なかには、

「そうなの」

といってニコニコしている。しかし、まだ無邪気に喜んでくれる人はありがたいが、

「子供二人がちゃんと稼いでいるのに、どうして働かなきゃならないの」

という年配の人がいたり、

「たまにはお嬢さんに、毛皮のコートでも買ってもらったら」

などと迷惑千万なアドバイスをする人もいる。子供がいくら稼ごうが、私は私で好きで働いているんだから、ほっておいてくれといっても、そういう人々は納得しないらしい。きっと彼らは私や弟のことを、冷たい子供だと思っているのだろう。まあ、本を書くときにはネタにして、印税もらっても知らんぷりという態度をとっている私は肩身が狭い。ささやかな埋め合わせとして誕生日にバッグ（といっても革じゃなくて布）なんかを買ってあげると、半年くらいはずーっと喜んでいる。

「あたし、同情されるよりは笑われるほうがまだマシだわ！」

こういう、子供にとっては願ってもない母親を持って、私は心からホッとしているのである。

懐かしの「スタイルブック」を読んで反省
古い服を新鮮に着るこの工夫、この努力

書店で中原淳一の本が復刻版で出ていたので、思わず買ってしまった。昭和三十三年に出版された『あなたがもっと美しくなるために』という、女心をそそるタイトルの本である。私はこの本のことは知らなかったけれど、彼が子供のために描いたスタイルブックには、どれだけお世話になったかわからない。母親がいつもスタイルブックを参考に、私と弟の服を縫ってくれたからである。

幅広で平べったい私たちの顔と違い、彼の描く女の子や子供は夢のように美しい顔をしていた。目が大きく二重まぶたで、鼻がつんと高く、少女マンガのヒロインとはまた違ったかわいさがあった。私のまわりを見渡しても、誰一人としてあのような顔立ちの人はいなかった。しかし、

「きっと世界のどこかには、こういう顔立ちの人もいるに違いない」

と憧れる反面、手鏡で自分の平べったい顔を見ながら、彼の描く少女が自分とは全く違うのが、とっても悲しかったのだ。大きな白い襟のついたワンピース、細いスラックスをはいて、髪の毛を水玉模様のスカーフで巻いた女の子。短い手袋をはめ、白いリボンをつけてプードルをつれた少女。手袋をはめた手の人差し指が必ずピンと立っているのが不思議だった。きっとフランスの女の子たちはこういう格好をしていて、信号を待っているときでも人差し指をピンと立てているのだろうと信じていたのである。

彼の絵とは全く違う顔面の造作でも、このスタイルブックに載っている服を着れば、気分はパリジェンヌだった。私と弟は畳の上に腹ばいになり、せんべいをボリボリとかじりながら、

「私は今度このブラウスを作ってもらうんだ」

「僕はズボン」

とスタイルブックの絵を指さした。どっちが先に作ってもらうかで、いつも大喧嘩になった。ししゅうをしたブラウス、アップリケのついたスカート。ストールつきのオーバーという大作も作ってもらった。弟も一人前にこまっしゃくれたチェックのジャケットや、かわいい半ズボンをはいて喜んでいた。そして新調した服を着て、姉弟仲良くお手々をつないで町内をこれ見よがしに一周するのが、唯一の楽しみだったのである。隣

近所のおばさんたちに、

「まあ、かわいい」

などといわれようものなら、天にも昇る気持ちになった。

当時私たちは既製品などまず買ってもらえなかった。特に小学校の低学年までそうだった。うちにお金がなかったのも理由のひとつだが、店で売っているのは主にとってお きのおしゃれ着ばかりだったような記憶がある。友だちもふだんはお兄さん、お姉さん のおさがりを着ていた。いとこからまわりまわってきたスカートをはいた子。お兄ちゃ んがはいていた、ヒザのところに穴のあいた長ズボンを、おばあちゃんが縫い直して半 ズボンにして、弟がはいているなんて、あたりまえのことだった。既製服をふだん着て いる子なんて、クラスでほんと一人か二人だった。私は母親が縫ってくれた服も嫌いじ ゃなかったが、既製品を着ている子がうらやましくて、そのウサを晴らすため、ちくり ちくりといじめたものだった。

そしてこの『あなたがもっと美しくなるために』を読んでいて、母親が子供に作った だけではなくて、かつては女の人のほとんどが「自分の着るものは自分で作っていた」 ことをあらためて知らされたのである。たとえばシンプルな襟なしのワンピースを作っ ておいて、替えカラーをつけかえれば新鮮な気分で着ることができるとか、新しいオー バーを作るときにはあとで仕立てかえることを考えてデザインを決める。二年ごとに仕立てかえれば、六年間に三度新しい形が着られるなどというのは、そのためのアドバイスである。私は編み物だけは好きなのでやるのだが、手編みのセーターに関しても耳の痛いことが書いてあった。「昨年も着ていたものをまた今年も着て、これを作った最初の時と同じ感激で着られるかどうか」「着ることの喜びは、そのものに新鮮な美しさを感じている時にある」。だから去年編んだセーターは編み直そうというのである。確かにセーターを編むと、出来上がったときはとってもうれしいが、一年たつと、ただタンスの中にあるから着るようになってしまうのも事実だ。ちょっと伸びてしまって身頃がブカブカしても、苦労して編んだと思うと、

「毛糸って伸びるから、ブカブカしてても仕方ないわ」

と自分自身を納得させてしまうのだが、そういわれてみれば、みっともないことなのかもしれないと少し反省した。

とにかくこの本に書いてあるのは、「いつも新鮮な気分でいる」「こまめに自分の身のまわりをかまう」ということだ。無精者の私には、なかなかしんどい。私も洋服を買うのは好きだし、どうせ買うのなら長く着られるものを選んでいるが、着古してもボタンを変えてみるくらいのことしかしない。オーダーでオーバーを作ったとしても、中原淳一がいうように二年に一度仕立て直すなんていうことなどしないで、後生大事に布地がすり切れるまで着続けてしまうような気がする。彼にいわせれば、それは単なる惰性で

しかないのだろう。そういえば母親が作ってくれた、彼のスタイルブックの服は、その後仕立て直されてワンピースがジャンパースカートになったり、ジャケットがベストにと、どんどん形が変わっていった。もしかして彼は、子供服ですらあとでまた新鮮な気分で着られるように、仕立て直しがしやすいようにデザインをしていたのだったら、こんなすごいことはないんじゃないか、と、復刻版の本を手に妙に感慨にふけってしまったのである。

大学は出たけれど……就職、恋愛、お見合いに青春を燃やす女たち

大学を卒業すると私のまわりの女たちはみごとに三派に分れた。一派は就職派、もう一派は恋愛結婚派、残りは見合い結婚派である。なかには就職先で恋愛結婚をしようなどというふとどき者もいてみんなのひんしゅくをかっていた。

就職派は大変だった。大手企業など親のコネがなければとてもじゃないけど入れず、やっと面接までこぎつけた個人事務所は社長の二号選びといったような質問内容だったりして、みな青ざめた顔をしていた。そしてどういうわけか「ふとどきな就職先で恋愛結婚派」のほうがすんなりと就職が決まってしまうのだ。いったいどこが違うんだろうかと青ざめた顔同士で考えてみたら、背後にやはり親の影がちらついているのである。自分の娘にどういった職業の男と結婚したいかを聞いて、取り引き先とかあらゆる面を

考慮して一番適した企業へねじこむのである。そしてそうやってねじこまれた愚かな娘は仕事もせずに色目ばっかり使って男をつかまえて、二年くらいしてパッとやめてしまうのである。で、そういう企業の重役は怒って、「大学卒の女子はもう採用しない」と決定する。一体私たちが何をしたというのだという感じであった。就職派の恨みは絶えることがなく、二人の子持ちとなったこのふとどき女に対して未だに「三段腹」だの「目尻にめりこむオバンの厚化粧」といった暴言が発せられるのであった。

ふとどきではない恋愛結婚派もなかなか大変なようすだった。彼女は就職せずに彼のプロポーズを待ってじーっと自宅待機していた。朝から母親にへばりつき、味噌汁のつくり方、布団の干し方、要領のいい洗濯の仕方、など家庭管理に関することを学ぼうと必死であった。いつでも結婚生活に突入できる自信もでてきた。家では両親が金糸銀糸でツルカメのぬいとりをした婚礼布団をそろそろ準備しておこうかなどという話もしていたのである。問題は男のほうである。学生時代は能天気でよかった。しかしこれからは自分が必死に稼がなければいけないのである。一年程前、デートのときに、

「女一人食わせられないんじゃ男じゃないよ」

などと見栄はっていってしまい、彼女がはやくこのことを忘れてくれればいいと内心思っているが、彼女のほうはこのひとことだけをずーっと心のささえにしてきたのだった。彼はちょっぴり後悔していた。

「まだ二十二歳なのに生活のことなんか考えるのはしんどいなあ」と思いはじめた。電話で彼女と話しているとそれとなく結婚のほうへ話をもっていこう、もっていこうとするし、最近は母親まで電話口に出てきてしまうものだから正直いって閉口しているのである。それと父親の戦友の知人というコネのおかげでやっと入った中堅企業の受付の女の子がとてもかわいくて気になってしようがない。さりとて今までつきあってきた彼女と別れるわけにもいかず……彼は結局二人の女を両てんびんにかけ、ズルズルとそのまま関係を続けてしまったのだった。その後恋愛結婚派の彼女はフラれてしまい、一年間放心状態が続いたあと、遅まきながら見合い結婚派に転じたのであった。

見合い結婚派は卒業する半年前から準備を着々とすすめていた。有名な写真館で着物姿の写真を撮り、それに北海道旅行のときのスナップも添えて親類縁者にバラまいていたのである。彼女には相手に望む十の条件というのがあった。収入がよくて安定している、ハンサム、たくましい体型、英語が話せる、車の運転ができる、無口、食道楽でないこと、長男でないこと、ハゲる家系でないこと、女にだらしなくないこと、であった。これを聞かされたとき、おのれの顔をかえりみず何と大胆なと思ったが、ありがたいのは親類で、この条件を満たす男性を次から次へとつれてきたのである。彼女は内心有頂天になりながらもここで甘い顔を見せては私のプライドが許さないと選びに選び、とうとうつれてきた都合五人全員を断ってしまったのであった。

「けっけっけ、いま五勝零敗だからね」

と彼女はうれしそうにいうので私たちは、

「そんなことしてるとあとでひどい目にあうよ。そうなっても知らないからね」

とやっかみ半分でいった。しかし彼女が齢をとるにつれ、だんだん勝率が悪くなってきた。二十四歳までは、ほぼ全勝に近かったのに二十五歳すぎてからはどんどん負けがこんできたのである。

「変なのよね。ああ今度はいい男だなあって思うと必ずむこうが断るのよ。それも会ってすぐよ。バカにしてると思わない。そのくせ、ああやだなあって思う男はむこうが乗り気になっちゃってるし。本当に世の中うまくいかないわ」

と深くタメ息をつくのである。二十七歳のときはとうとう十五勝二十三敗までになってしまった。私たちはそれだけの回数をこなした彼女のエネルギーと両親の熱意に驚いたが彼女は、

「あーら、もうここまできたらスポーツと同じなのよ。何か決まるとか決まらないとかって全然問題じゃなくなって、単にやらないと気持ち悪いだけなの」

といって着物の袖をハタハタとはためかせながらホテルニューオータニへと出かけていくのであった。結局彼女は今年になってやっと結婚した。見合いを打ち止めにした理

由は「親も私も体力が続かなくなってきたから」であった。結婚式場で新郎の姿を見た私たちは、彼女の十の条件が幻であったことを知った。相手は長男、司法書士の事務所をはじめたばかり、青白い顔にひょろひょろした体つき、年老いた両親をかかえ、そのうえ四十歳になるも無職未婚の姉一人に弟三人、おまけに頭はハゲているのであった。そのうえ新婦の目を盗み、結婚式場の女の子にヘラヘラとあいそ笑いをしてにじり寄っていったりしていた。招かれた私たちはたらふく料理を食べて帰る道すがら、

「今までこれほど悲惨でかつ滑稽な結婚式があっただろうか」

という話題に終始し、ゲラゲラ笑いながら帰ってきたのである。

会社を辞めたらヤワになった我が体
地下鉄銀座線で右往左往わしづかみ

たまに混雑した電車に乗ると、つくづく乗り方がヘタになったなあと思う。勤め人のころはどこにもつかまらなくても、土俵の徳俵《とくだわら》に爪先立ってふんばる相撲取りみたいに、揺れに応じてすばやく足腰が動いたものだった。しかし自堕落に毎日を家の中で過ごすようになってからは、ちょっとの揺れでもつんのめってしまうような、ヤワな体になってしまったのである。

ある日の午後、私はある展覧会に行くために銀座線に乗っていた。昼間だというのに車内は、都内を動き回っているらしいサラリーマンやブティックの大きな紙袋を持った若い女の子、中年の奥さん連中でなかなかの込みようだった。吊革《つりかわ》にもびっしり人がつかまっていたので、仕方なく私はどこにもつかまらずに不安な面持ちでぼーっと立っていたのだ。不安は当たった。たとえば私がいつも使う中央線や井の頭線だと、ヤワな体とはいえどこが揺れるかがインプットしてあるのでそれなりにふんばることができる。年配のサラリーマンのおじさんたちが、どこにもつかまらずに週刊誌を読みながら立っていられるのも、銀座線の揺れに慣れているからだと思う。ところがふだん乗り慣れていない私にとっては、これはもう地獄であった。突然やってくる揺れに、あわててふんばってもあとのまつり。

「あーっ」

と言いながら、隣にいる人の足の上に全体重でのっかってしまったり、目の前に立っているおじさんの胸倉めがけてしなだれかかったり、

「あーあーあー」

と言いながらのけぞったのを、後ろに立っていたおじさんに元に戻してもらったり、四方八方の人々に迷惑をかけてしまった。ところがそれだけならまだよかったのだ。

だんだん車内も空いてきて、私にも吊革が与えられた。目の前の三人がけの椅子には、眠りこけている若い男性と、背広姿の頭に毛のあるおじさんと、頭に毛のないおじさんが座っていた。三つ並んだ彼らの頭頂部を俯瞰《ふかん》で見ながら、

「こうやって男の人は毛が抜けていくのね。でも、どうして毛が残る人とそうじゃない人がいるんだろうか」

などと人体の不思議について考えたりしていたのだ。そのとき私はふと、展覧会の招待状を持ってきたかどうか不安になった。体もヤワになったが最近では頭のなかもヤワになってきて、物忘れがはげしいのである。吊革から手を離し、ショルダーバッグのなかをひっかきまわし始めたとたん、突然電車がものすごい勢いでグラッと揺れた。吊革をつかむはずの右手はむなしく空をつかみ、私は、

「わっ」

と言いながら前の男性たちめがけてつんのめってしまったのだ。瞬間的に私の目のなかには毛のある頭と毛のない頭がとびこんできた。そしてはっと気がつくと、私は毛のあるおじさんの頭をわしづかみにしていたのだった。おじさんは椅子に座ったまま、無言でじーっとしていた。私はそーっとつかんでいたおじさんの頭から手を離し、

「申し訳ありません」

と言って、ぺこぺこ頭を下げた。するとその毛のあるおじさんは、怒るどころかにこにこ笑いながら、「いいよ、いいよ」というふうに手を振ってくれたのである。何て優しいおじさんかしらと感激したはいいが、そのときポッと頭に浮かんだのは彼の隣に座っている毛のないおじさんのことである。「毛がないからオレの頭をつかまなかったんだな」と勘繰《かんぐ》られてムッとされたりしたら、私の立場がない。怒っていたらどうしようと、そーっと様子をうかがうと、毛のないおじさんはうつむいて、

「うぷぷぷ」

と笑っていた。単に私の格好がおかしかったのかもしれないし、わしづかみにされたのが自分の毛のない頭だったらと想像して笑っていたのかもしれない。私たち三人は何となく顔の下半分をゆるめながら電車に揺られていた。私はドジを許してくれた人の好いおじさんたちに感謝しながらも、「とっさの間に、毛のあるほうのおじさんの頭をつかんだなんて、まだまだ私の反射神経も捨てたもんじゃないわ」と、再び俯瞰で彼らの頭を見ながら少し自信を持ったのだった。

経済記事を読みつつも、人差し指はお色気グラビアページに挟むおじさん

電車の中で本を読んでいる人は本当にうらやましい。私は乱視なので乗り物の中で本を読むと、降りた時に目がボワーッとなってクラクラしてしまうのだ。電車の中が読書の時間などといっている人にくらべて自分はその分ひどく損をしているような気がする。だから隣に座っている人が何を読んでいるのか気になって仕方がない。NHK大河ドラマで徳川家康を放映していたころに、サラリーマン風の男の人が車内で読んでいる文庫本は、私がのぞき見した結果九割がその原作本だったし、皮ジャンにサングラスをかけた青年が、大藪春彦の文庫本を読んでいるのを見ると、

「ははあ、なるほど。読書傾向と実生活が一致しているのか」

と思う。しかしサングラスをかけて本を読むという根性はなかなかのものである。中

には中年の男性で上から下までビシッとブランド物で決め、アタッシェケース片手にペーパーバックを読んでいる人もいたが、彼は私が十五分間電車に乗っている間、一度もページをめくらなかった。一行一行文章をかみしめるように読んでいたのか、ただ行間をボーッと眺めていただけなのか私にはわからないが、やはりペーパーバックを読んでいる時も、ページぐらいはめくってほしいものである。

先日私の左隣に座った男性も手に持っていた封筒からぶ厚い洋書をとり出し、しおりのはさまっているページを開いて読み出した。私はあからさまに覗《のぞ》くと悪いと思い、顔をややうつむきかげんにし、目つきを薄目の横目にして彼はいったいどういうものを読んでいるのかとさぐってみた。もちろん内容なんてわかるはずはないが、単語の意味から推測するに経済関係の本のようであった。彼は白髪のまじった品のいい紳士である。

「きっとこの人は商社か何かの役付きの人であろう。いちはやく仕事の参考にするために原書を読むなんて、やはり大変なことだ」

と私はうつむきかげんの姿勢のまま寝たフリをして感心していたのだ。ところが彼は二、三分するとパタッと本を閉じて封筒の中に戻し、今度は週刊誌をとり出した。その週刊誌はどちらかというと、カラーグラビアにお色気度が強い若者向きのものである。最初、彼はカラーグラビアには目もくれず、兜町の事件で株はどうなるのかといった内容の記事を熱心に読んでおられる。ひととおりそれを読み終わると今度はゴルフの記事をフンフンとうなずきながら、くいいるように見ている。

「そうか、このくらいの年配のサラリーマン氏にとって、週刊誌というのは無駄のない作りになっているのだなあ」

と思っていた。私も疲れたので薄目の横目をやめ、右隣に座っている男性のほうに目をやった。彼の推定年齢三十歳前後、服装から考えて仕事はマスコミ関係といったタイプである。彼はスポーツ紙をバサバサと四つ折りにして表にしたり裏にしたりと忙しい。スポーツ紙の最終面は駅売りのものはソープ嬢の告白とか女子大生ギャルのナントカ体験という類いの、お色気コーナーやポルノ小説が載っているのだが、今まで私が車内の男性を観察した結果、そういう類いの記事を熱心に読んでいる人はほとんどいない。どの男性も、

「ボクは今後巨人がどうなるか、瀬古はどのような練習をしているのかが気になって買ったんだから、こういうお色気記事があったって全然関係ないよ」

という感じで完璧にその面を無視しているのである。本当にあのお色気コーナーは駅のスタンドで買い求められてから車中へ、そして会社に持っていってもそのままずっと読まれないままゴミ箱へ葬られてしまうのだろうか。隣の男性がいつ最終面を読むのかと思ってまた横目でさぐりを入れていたが、とうとう彼もその面を読むことなく、パタパタ小さくたたんでショルダーバッグの中につっこみ、ボワーッと大あくびをしてその

まま寝てしまった。

本当にあの記事は読まれないままなのだろうかともう一度私は考えた。まさかトイレで隠れて読むわけじゃないだろうが、あんなに男が興味を持っていることが載っているのに、あれだけ無視されているのも珍しいんじゃないかと考えつつ、さっきの初老の紳士のほうに目をやると、何と彼はカラーグラビアをじっとみつめている。その号の特集は女子大生ヌード、学生証の写しつきというものであった。若々しい裸が一ページにドッとアップで載っている。

「うーむ、私が隣の男に気をとられているあいだに、このおじさんは本性を現していたのか」

思わず彼と共にじっとそのカラーグラビアを眺めていたら、その視線を察したのか彼とバチッと目があってしまった。お互いにハッとして何事もなかったような顔をして、バラバラの方向に目をやった。彼はゴホッと小さな咳《せき》をして、チェルネンコ体制の今後についての記事を読みはじめた。私は何となく気まずくなって再びうつむきかげんの姿勢になって寝たフリをした。そしてまたここで薄目の横目をするところが私のしつこいところである。案の定、しばらくすると彼はまたカラーグラビアを開き、学生証とページの中で艶然《えんぜん》と微笑む女の子の姿を交互にじっと見ているのであった。

私はそろそろ降りる駅が近づいたので寝たフリをやめ、私はあなたのほうは見ていませんよ、という雰囲気を漂わせつつ隣の様子をうかがうと、彼はすでにカサカサとページをめくり、今度は連載小説を読みはじめたところだった。

「やっぱり隣に女が座ってじーっと見ていると、堂々とああいうページは開けないのかしら」

と私は連載小説を読みながらも、彼の右手の人差し指はしっかとカラーグラビアのページに差しこまれているのを確認しながらそう思ったのである。

新婚三カ月の人妻を悩ませるのは連日連夜、二階の女子大生が張る酒宴

先日高校時代の友人と会った。新婚三カ月目の人妻である。喫茶店で向かいあって話をしていても、どうもボーッとしている。

「あんた、どうしたの」

「うーん、このごろ寝不足なのよ」

そうか、新婚だものねー、と不謹慎な事を考えていたら彼女は、

「あなた、変なこと考えてるでしょ!!」

と鋭くついてくるのである。

「だってそれしか考えられないじゃないの」

「本当に想像力が貧困なんだから」

彼女はブッブツいっている。どうも理由は他にあるらしい。よく話をきいてみると、彼女のアパートの二階に住んでいる女子大生二人が夜な夜なドンチャン騒ぎをして眠れないというのである。そのアパートは世田谷区の住宅地の中にあり、六畳二間と八畳の台所にバス・トイレという二人暮らしだったら充分の広さである。ひどいときには十人位の人間が集まって深夜の酒宴をくりひろげているというのだ。その女子大生二人というのも別に服装も化粧も容姿も普通のごく平凡な風体で、あんなにギャーギャーと大騒ぎするようには見えないらしい。

「それがね、連れこんでるのが全部男なの、全然そんなことするように見えないのよ。だからよけい恐ろしいね」

そういえば私たちのころは見るからにあばずれという感じの女の子がいてみんなが敬遠したものだけど、今は本当に誰が何をやってんのか全然見当がつかないからこわいのだ。髪の毛をピンピン立てて鎖をジャラジャラつけた男の子が年寄りに席を譲ったり、きちんとした身なりの若い男が我れ先にと空席を陣取ったり……本当に見かけで人を判断できない時代になってきた。

その子たちの蛮行が連日続くにつれ、近所の人々が怒り、夜どれだけ騒いでどれだけうるさかったかというのを毎日ノートに書いてそれをつきつけ、静かにするか出ていくのかはっきり結着をつけようと緊急町内会で決まったのであった。そこで白羽の矢が立ったのが彼女である。理由は一番近い距離に居住している、年齢が町内会のグループのうちで彼女らと一番近い、ヒマである。ということで、彼女は今夜はどういう状況であったかということを逐一ノートに書き留めておくようにといわれたのであった。

某日、彼女たちが帰宅するとブオンブオンという排気音を響かせて、チリチリにパーマをかけたアロハシャツの男三人がやってきた。ものすごい音量でレコードをかけたあと酒宴。それが明け方四時まで続く。そして彼女たちは八時に起きて学校にいった。

某日、深夜一時、突如彼女らの部屋のドアがけたたましくノックされる。

「オレだよ、オレ」

などというドナリ声があたりに響きわたる。ドシン、バタンというドアの開閉の音、そして闇をつんざく矢沢永吉の歌声。布団をかぶってその騒音に耐えていた彼女の耳にきこえたドサッという物音。あわてて庭側の戸を開けてみると、彼女たちの部屋から焼酎《しょうちゅう》のビン片手に男が落ちてきて、地べたでヒクヒクしているのだった。その日は彼女がパトカーを呼び、現行犯で説教してもらおうとしたが、警官がドアをノックしたとたん灯りを消し、図々しくグーガーとタヌキ寝入りをしていたというのである。

第二回の町内会が開かれ、彼女がそういう報告をすると皆一様に怒り、この事実を知らしめ彼女らをこの地から追い出さなければならない、と態度は非常に強硬なのであるが、誰がその迷惑している事実を、面と向かって彼女らに言うかということになると、お互いにその役をおしつけようとするのである。まるで童話にあった猫の首に誰が鈴をつけるかと全く同じである。みんなでブーブー文句をいっていたくせに、いざとなると他人にめんどうなことをおしつけようとするのである。結局また私の友人がその役まわりになってしまい、彼女たちのところへ文句をいいに行くことになったのであるが、

「がんばってね」

という声援を背中にうけても、どうも釈然としないのであった。彼女たちに面と向かって、他人の迷惑も考えろとドナると、一人はただじーっとうつむき、顔を上げようともしない。もう一人のほうはニヤニヤと笑っているだけだというのである。

「もう、わたし頭にきて頭にきてブン殴ってやろうかと思った」

と彼女は言う。それでも蚊のなくような声で、

「もうしませんから、どうもすみません」

とあやまったので、彼女もこれで何とかなるであろうと安心して帰ってきたがまたその夜、いつもと同じ大酒宴。翌朝、彼女が寝不足で腫《は》れたマブタをショボショボさせながら抗議すると彼女たちは、

「あら、うるさかったですか、きのうはレコードはかけなかったんですけどね」

としゃあしゃあと答えたのである。怒り心頭に発した彼女は再び町内会でこの事実を話すと、また大騒ぎになって、

「何とふとどきな娘たちだ」

「一体親はどんな育て方をしているのか」

などという罵声がとびかい、中には占いの本をひっぱり出して、

「あの子たちは一白水星だから、そう、田中角栄と同じ星なんだよ。この星生まれは盗みだろうが売春だろうが何でもやるんだ。けがらわしい！」

とわめく老婆までできて騒然となった。しかし、いざとなって具体的に誰がどのようにして彼女たちと交渉するか、という点になると急にしーんとして、また彼女にむかって、

「悪いけど、また行ってくれない」

というのである。陰にかくれて人の悪口をいうときはすさまじいのに、いざ目の前でいえといわれると急にしゅんとしてしまうのである。結局彼女は七回も彼女たちに文句をいいに行ったのだが、全然生活態度が改善されないので、あきらめてしまった。そして、

「女子大生も悪いけどさ、近所のおじさんやおばさんたちだってけっこうズルイんだよ」

といいつつ静かに世田谷の地を去っていったのである。

同窓会で知る人生。実は実はの内緒話に美青年の大変貌。積もる話が山とある

先日、小学校、中学校と同級生だった男の子たちに会った。といっても当時はかわいい男の子だったが、今はおじさんと呼ばれる年齢になってしまった立派なおとうさんたちである。彼らに会ってまず笑ったのは、私のことを「デブ、デブ」とからかっていた男の子が、ものすごいデブになっていたことだった。彼はあまりに痩《や》せていたためにとても頭が大きく見えたので、「仮分数」というあだなをつけられていたくらいだったのである。

「ずいぶんご立派になられて」

というと、彼はワハハと笑いながら、

「そうなんだよ。高校にはいったとたんに体質が変わったらしくてさあ。これでもダイ

エッットして少し瘦せたんだぜ」

　と大きなお腹《なか》をゆすっていった。もうひとりの彼はものすごく勉強ができて学年で一番だったが、あまり頭を使いすぎたのか髪の毛が淋しくなっていた。

「友だちに会うとついつい話題が『１０１』になっちゃって……」

　と照れたりしている。当時、私が、

「なんてきれいなんだろう」

　と嫉妬さえ覚えながら憧れていた男の子の髪も、滅びるのは時間の問題と聞かされてビックリした。いくら男女の違いはあるにせよ、かつての同級生がハゲの話をしていると知ると、ものすごく歳をとったような気になってしまった。

　もうひとつ驚いたのは、同級生や同じクラブにいた同士で結婚していた人が多かったことだ。私にデブといい放ったバチがあたって、自分が大デブになってしまった彼も、同級生と結婚していた。話によると、中学を卒業したあとに目星をつけていた女の子に会いたくなったときには、世話好きの友人をつっついてクラス会を開くようにしむけるそうだ。これだったらみんな疑わずにくるし、お金もかからないし、気を使わなくてもいい。誠に賢いやり方ではある。しかし、その話を聞いて私はだんだん腹が立ってきた。自慢じゃないがこの二十年間、クラス会に名を借りた集団デートの場に一度も呼ばれたことがなかったからだ。私はすかさずこの件を厳しく追及した。

「えっ……。そうだっけ……」

「ふん。どうせ私に会いたいなんていう男の子はいなかったんでしょ」

「うん。みんなキミのことは覚えてたけどね。会いたいっていうのはいなかったみたい」

「……」

みんなが和気あいあいと楽しくお話しているときに、ひとり淋しくとり残されていたかわいそうな私。二十三人いた男の子のなかでひとりくらいは私に気がある子がいたってよさそうなものだ。ムッとした私の顔を見て彼らは、

「いやあキミは全然変わらないね。小学生のころと同じ印象だよ」

と、なぐさめてきた。

「あら、そう、ふふふ」

変わったといわれるよりは、変わっていないといわれたほうがうれしい。

「ボクたち男とか女とか、関係なかったじゃない。フランクに話ができたし。それはなかなかいいことだよ」

さすがに男も三十四歳になるとなかなか口もうまくなる。うまくまるめこまれたようだったが、この際納得することにした。

彼らはホッとしたのか、今度は私を差し置いて「思い出の女の子」について勝手に話

を盛り上げていた。ちょうちんブルマーじゃないぴったりしたブルマーをはいた体操部の彼女はよかっただの、目のぱっちりした一年下の子を待ち伏せしただの、次から次へと話はつきないのだ。

「○○さんはよかったなあ」

「ボクは△△さんが好きだった」

彼らの口からでてきたのは、当時噂になっていた女の子とは別の名前だった。少しでも他の子より多く話していると、すぐ、

「あやしい」

と噂がたったものなのだ。

「◎◎さんじゃなかったの？」

「あっ、あれはね、単なる友だち。本命は○○さんだったの」

名前がでたのは、どの子も十二、三歳でありながら妙に色っぽい子ばかりだった。色気のイの字もなくただそこいらへんを笑いながら転げ回っていた私とは、全く違うタイプである。男好きするタイプはすでに小、中学校のころから目立っていたのだ。彼らは本命には自分の気持ちが伝えられずに、ただ遠くからじっと姿を見てため息をつく毎日だったという。そのため息をつく女の子がひとりやふたりではなかったのにもまた驚いてしまった。

「ボクたち結婚してるからさ、女の人のところに電話をするときには気を使うけど、キミみたいなタイプはいいよ。全然気にしなくていいもん」

「そうそう。うちの奥さんにも平気で話せるし」

それじゃ、平気で話せない女性とも会ったりしてるんだなと思ったが、この件は追及するのはやめにした。彼らの私の存在に対する意見は一致していた。自分でもうすうすはわかっていたが「やっぱり」といった感じである。まあ、こんなふうに思われているほうが気楽なことは事実だ。週刊誌の記事で中年の不倫のカップルが知り合ったきっかけがクラス会だったとよく書いてあるが、そういうことは充分ありうる。彼らとは何の恋愛感情もなかったし、二十年間のブランクもある。しかし学校のこと、先生のこと、クラスメートのことなど、思い出話はつきることがなくてとても楽しい時間を過ごした。生きていれば私たちと同じ歳であるはずなのに、すでに亡くなってしまった友人の話もでて少ししんみりもしたけれど、女性ばかりじゃなくてたまには気のおけない思い出話ができる男性と会うのもなかなかいいものだと思ったのだった。

ボン・ジョヴィ、少年隊と一つ屋根の下に泊まってルンルン。我らは中年純情隊

一月のはじめに友だちと大阪にいった。三泊四日で国立民族学博物館と神戸とホテルの近くの美術館へ行く計画であった。友だちと旅行に行くのはひさしぶりで、三時間の道のりも車内でおしゃべりをしていたら、あっという間だった。私たちは三十四歳と四十歳という年齢をものともせず、足どりも軽く大きなショルダーバッグを肩から下げて、ホテルへと向かったのである。最寄りの地下鉄の駅からホテルへの道筋には、二、三人の女の子のグループが、冷たい風に吹かれながら何組もぼーっと立っている。そしてホテルに近づくにつれてだんだん彼女たちの数は多くなり、ホテルの前には黒山のような人だかり。おまけにロビーにもすさまじい数の女の子たちがたむろしていたのだった。

「まあ、私たちを出迎えてくれたのかしら」

などと最初はのんきにいっていた私たちも、あまりの数の多さにびっくりし、チェック・インもそこそこにベル・ボーイをつかまえて真相を聞き出そうとしたのである。

「ボン・ジョヴィか、少年隊かマッチを待っているみたいですよ」

彼はそういった。

「えーっ」

私も彼女も舞い上がった。有名人と同じホテルに泊まるなんて、私の三十四年間の人生で初めてである。部屋に入ったとたん、私たちはベッドの上に座ってぼんぼん跳ねながら、すごい、すごいと大喜びした。ところが一緒にいった彼女は少年隊とマッチは知っているものの、ボン・ジョヴィのことは知らない。

「カセット・テープのコマーシャル見たことない?」

といってもわからない。今はまだ、いったい誰が泊まっているかわからないので、それが判明してからもっと興奮しようと相談して、その日はとりあえず寝たのである。

次の日、朝早く起きて食事をしにいったら、きのうの女の子たちが、朝もはよからきちんと化粧をしてきれいに着飾ってロビーにいた。御苦労なことだと感心しながらレストランに入っていった私の目の前に、背中に「BONJOVI」とプリントしてあるブルゾンを着た大男が立ちはだかった。これで私たちはボン・ジョヴィと同じ屋根の下に寝泊まりしていることがわかったのだ。ところがボン・ジョヴィを知らない彼女は、そ

のブルゾンを着ているのがみんなボン・ジョヴィのメンバーだと思って、

「ボン・ジョヴィってずいぶんたくさんいるのね」

と間抜けたことをいう。

「あれは裏方で、ボン・ジョヴィのメンバーじゃないのよ」

というと、それから彼女は、ラフな格好をした外国人男性が入ってくると、小声でいちいち、

「ねえ、あの人ボン・ジョヴィ？」

と聞く。おまけに幡随院長兵衛《ばんずいいんちょうべえ》みたいなカッパ状ハゲのおじさんにまで、

「あの人、ボン・ジョヴィ？」

と聞く始末だった。私は、

「ボン・ジョヴィにハゲはいない！」

ときっぱりといい、これは彼女にボン・ジョヴィがどういう人々かを教えなければならぬと、不慣れな土地でレコード店を捜しまわり、店頭に貼ってある特大のポスターを指さして、

「これがボン・ジョヴィだ！」

と彼女に教えたのである。

そしてまた次の日の朝、ロビーに降りていったら、昨日の子たちよりも若く、いかに

も追っかけという感じの下半身が丈夫そうな子がたむろしていた。今度は誰かしらときょろきょろしていると、そこへ背中に「SHONENTAI」とプリントしたブルゾンを着たか細い男の人が通った。

「キャーッ、今度は少年隊よ」

私たちは再び舞い上がった。友だちは、

「これで五歳の姪《めい》に自慢できる」

と、有頂天である。

「ボン・ジョヴィと少年隊と、続けて同じ屋根の下に泊まったのは、私たちくらいのものだわ」

私たちは頭に血が上り、国立民族学博物館に行って感激したことなどぶっとんでしまったのである。朝食もそこそこに私たちは部屋に戻り、東京にいる友だちに電話をかけて自慢してやった。

「わーっ、すごい」

といわれると、とってもうれしい。冷静になってみると、同じ部屋に泊まったんならともかく、ホテルが同じくらいで何でこんなにうれしいんだろうという気はした。しかしこんなことでこんなにうれしいなんて、私たちって何てかわいらしいのかしらと、三十四歳と四十歳は目尻を下げていたのであった。

「彼は鈴木大地そっくり」と言うけど、会ってみれば似て非なる女たちの彼自慢

ここのところ若い女性編集者と会うと、まっさきにある男性の話題がでてくる。彼女たちは口を揃えて彼のことを、

「かっこいい」

と誉めちぎるのだが、そういう女の子たちがひとりやふたりじゃないことに私はとっても驚いてしまったのだ。彼の名前は阿部寛クンでも風間トオルクンでもない。あの金メダリストの鈴木大地クンなのである。私は彼については特別にかっこいいとは思わなかったが、確かに女の子にモテるタイプではある。個人的な好みでいうと、自分の息子くらいの年齢の体操の高校生二人組のほうがかわいらしくて、テレビの前で頬をゆるめていたので、

「池谷クンも西川クンもかわいいじゃないの」

とひょうきん二人組を推薦すると、彼女たちは、

「彼らもたしかにかわいいです。でもやっぱり鈴木大地ですね」

ときっぱりといいきる。彼のどこがそんなにいいのかと聞いたら、

「とにかくスタイルもいいし、話し方も自信満々で男らしいし、そしてあの目がとっても素敵」

などという。私はただ、「なるほどね」とうなずいて聞いていたのだが、彼女たちの熱のいれ方にはなみなみならぬものがあった。その「大地クン大好き」の女の子たちのなかの一人、リエちゃんが、

「私の友人の彼が鈴木大地にそっくりなんですって。いいなあ……」

とため息まじりにいった。リエちゃんは自分の彼女が美人だと威張る男を心の底から嫌っていた。特に、

「俺の彼女は浅野ゆう子にそっくりなんだぜ」

といった男性を異常に毛嫌いし、

「どうせあたしは足も短いし、顔もでかいわよ」

と誰も何ともいっていないのに一人でぷりぷり怒っていたのだ。彼女の美人度を自慢する男を嫌っているのに、かっこいい彼がいる女の子をうらやましがるのは少し矛盾し

ていないかと彼女を追及した。すると彼女は、

「やっぱりかっこいいとみんなに自慢できるもん」

とあっけらかんとしている。その鈴木大地クンに似た彼がいるお友だちは、前々からみんなに彼のことを話したかったらしいのだが、ひとことで彼の容姿を表現できる有名人はいなかった。ところがオリンピックのおかげで彼女は突然胸が張れるようになり、

「彼って鈴木大地そっくりなの」

と自慢しまくっているというのだ。まだ会っていない友だちの彼の容姿を知るには、有名人の誰に似ているか教えてもらうのが一番てっとりばやい。しかしこの方法は惚《ほ》れた欲目を差し引かないと、実際会ったときにとんでもないことになるのである。

私の友だちに次々に彼ができたとき、かたっぱしから誰に似ているかと聞いてまわった。みんなそれぞれ、「加藤剛」「谷隼人」「沢田研二」「萩原健一」といった。最初私はそれを真に受けて、「みんなの彼っていうのは本当にハンサムなんだなあ」と感心していたのである。ところがいざ彼らに会ったとき、私は「谷隼人」だの「沢田研二」だのといった友だちを、「この大嘘つき！」といってどつきたくなった。期待があまりに大きかったのかもしれないが、友だちの彼に会うたびに落胆させられたのだ。ちょっとでも似ていれば納得もするが、有名人との共通点が性別だけというのでは詐欺にあったも同然である。特に「加藤剛」といった友だちは、「あなた検眼したほうがいいわよ」と

いってやりたかった。喫茶店で待ち合わせをして、胸をわくわくさせていた私の目の前に現れたのは、でれっとした友だちとせんだみつおだったからである。いちゃいちゃしている彼女たちを見ながら、どこをどの角度で見たらせんだみつおが加藤剛になるんだろうとずっと考えていた。彼の顔をいくら見つめても加藤剛の顔は全く浮かんでこない。結局はこれは彼女だけに見えるものだったのだ。他人がいくら「あれはせんだみつおだ」といっても彼女が「加藤剛」と思っていれば万事うまくおさまる。しかし私はそれ以来、ジョン・ローンに似ている彼がいるといわれようが、坂本龍一に似ている彼がいるといわれようが、ちっとも動じなくなった。会ってみたら絶対に似ておらず非なるものが登場するに決まっているからである。私は自分の経験をリエちゃんに話し、

「いくら彼女が彼のことを鈴木大地に似ているって自慢したからって、絶対に本人にそっくりじゃないから、そんなにうらやましがることないわよ」

と肩を叩いてなぐさめたのだが、万が一よく似ていたらやっぱりうらやましいなと思ったのだった。

「おばさん」と呼ばれてガックリする勿れ
友人の三十五歳主婦に「おじさん」の声

おねえさんとおばさんの境目とはいったいなんだろうかと、時々考える。私は独身だが三十歳を越えているので、その微妙なラインにいるのではないかと思う。私が十代のときの三十歳以上の人は、みんな十把ひとからげで、おじさんやおばさんだった。たとえば私と同年配でも、子供がいる人は「おばさん」と呼ばれても、それほど抵抗はないのではないだろうか。子供の友だちがいう「おばさん」には、「〇〇ちゃんのおかあさん」というニュアンスが込められていて、もたもたしていて図々しい「おばさん」というイメージではないからである。カラスの足跡が出てきたときがおばさんなのか、三段腹が苦しいのでウエストがゴムになったスカートをはいているのがおばさんなのか、おばさんの定義がどういうものか私にははっきりわからない。

私は三十歳をむかえたとき、どんなに年をとっても他人には「おばさん」といってもらいたくないと思った。そのためにこれだけはするまいと肝に銘じていることがある。猫背は厳禁。歩くときも足をガニガニ出さないで、ぱっぱかぱっぱか歩く。すべてスピーディに物事が動くように動作を敏捷《びんしょう》にする。たとえば切符を買うときに、自分の番になってやっとバッグから財布を出すような真似はしないということである。むやみにでかい声で笑わない。楽な服装に流されない。自分に似合う色をよく考える。口紅だけをまっかっかにつけて顔色の悪さをごまかさない。妙にいろいろな飾りがついた服を着ない、などである。

ところが、こんなに気を使っているのに、先日初めて「おばさん」といわれてしまった。文房具店でサインペンのお金を払おうとレジに並んでいたら、後ろの小生意気そうな幼稚園くらいの女の子が、私のお尻をつねって、

「おばさん。早く前にいってよ」

などというのである。基本的に私は子供が嫌いなので思わずムッとして、

「みんな順番に並んでるんだから、おとなしく待ってなさい」

といってやった。親にも好きな男にさえも、お尻をつねられたことなんかないのだ。

「何でこんなガキにこんな事をされなければならないんだ。本当に最近の子供はしつけがなってない」

女の子は私の背後でいつまでたってもブツブツいっている。初めておばさんといわれたショックとしつけの悪さに私もむくれていたら、その子を店の外で待っていたお母さんらしい人が、私の方を見てすまなそうな顔をしてペコペコ頭を下げていた。雰囲気からして私と同年配のようだった。それならこの子に「おばさん」といわれても仕方ないが、やはり面白くないものは面白くないのである。私はあまり腹が立ったので、このことを主婦の友だちに話した。すると彼女は、

「いいじゃない。おばさんっていわれるんだったら。あたしなんか、このあいだ『おじさん』っていわれたんだからね」

といい放った。彼女の髪の毛はショート、色は浅黒くて痩《や》せ型。学生の頃から性別不明の人だった。結婚するときに相手の実家に挨拶《あいさつ》に行ったらば、お父さんが、

「息子がもう一人増えたみたいでうれしい」

といった。花の新婚時代、誰か来たのでドアを開けるとセールスマンが立っていた。彼は彼女を見るなり、

「坊や、おかあさんは？」

という。彼女がジーンズのポケットに手を突っ込んだまま、

「今、いないよ」

と答えると、

「そう。じゃ、またね」

といって帰ってしまったくらいなのだ。

彼女はショート・カットで後ろを刈りあげている。そしてその「魔の時」のいでたちは、防寒用の紺色の分厚いコートにグレーのフラノのズボン。グリーンのマフラーをぐるぐる巻きにして、自転車に乗って駅前まで買い出しに行った。野菜やらトイレットペーパーやらを荷台に括《くく》りつけて走っていると、後ろから、

「おじさーん、おじさーん」

という子供の声がする。自分には関係ないと自転車をガンガンこいでいくと、まだしつこく、

「おじさーん、おじさーん」

という声が追っかけてくる。何だろうかと振り返ると、自転車に乗った二人の少年が長ネギを振りかざし、

「落ちましたよー」

といいながらこっちに向かってやってきた。

まわりを見渡してもおじさんらしき人はいない。嫌な予感がしながら荷台を見ると、一束百円で買ったネギが忽然《こつぜん》と消え失せていたのであった。そして呆然としたまま、

「どうもありがとう」

というしかなかった彼女に向かって、その親切な子供たちはネギを手渡し、元気に去っていったのである。

「坊やの成れの果てがおじさんっていうわけなのよね。でも、あたし女っぽくしても似合わないから、これからもこのままでいいの」

彼女はこれからも「おじさん」と呼ばれてもいい、ときっぱりいい切った。誠に潔い人である。今まで男の子と間違われていた人が、年をとったらおじさんと間違われるのは当たり前のような気もするが、もとは女なんだから、いくらなんでもかわいそう。年をとって性別がわからなくなった人ならばともかく、三十五歳ではあまりに気の毒である。

私もこれからは年をとるばかりだから、どんなに気をつけていても、また「おばさん」と呼ばれる日が来るに違いない。そして、その日が来たら彼女のことを思い出して、「おじさん」といわれるよりマシだ、とそれを認めなければいけないのかしらと不安になる今日この頃である。

流行なのか、彼が彼女にパンツの贈り物 でも私は自分のパンツは自分で選びたい

デパートの下着売り場に男の人がいると、さすがの私もギョッとすることがある。今までの経験からいって、そういう売り場に足を踏み入れてくるのは、いやらしさを体中から発散させている人か、ワケありの水商売風の人しかいなかった。いくら開放的な世の中になったとはいえ、知らない男の人が隣にいると、おちおちパンツなんか選んでいられなくなるのだ。

一番最初に下着売り場にいる男の人にでくわしたのは、今から十年くらい前だった。彼は一人ではなくカップルだったのだが、その二人連れがあまりに不気味で、私はパンツを買うのも忘れて彼らをずーっと観察していた記憶がある。その男はかっちりとセットした髪の毛と、趣味の悪い三つ揃いのスーツ。ルイ・ヴィトンのセカンドバッグを抱

える手に金の太いブレスレットと、いかにも場末のホストという雰囲気を醸し出していた。連れの女性は歳の頃は四十七、八。まるでトドのような体型で、そのホストの腕にガシッとしがみついている。化粧もこってり、アクセサリーもこってり、服だけでなく靴にもやたらとビーズやらスパンコールがチカチカ光って、まるで電飾人間である。おまけにすさまじい香水の匂いが漂い、まわりにいた買い物客も無関心を装いながら、この奇怪なカップルを横目で眺めていたのだった。

彼らは売り場で一番派手なパンツが置いてあるコーナーに陣取っていた。ところがこの二人、ものすごく声が大きくて、内緒話をしているつもりが全部筒抜けになっていたのだ。トドはまず驚くようなどぎついピンク色のパンツを手にとった。そしてホストにむかって、

「ねえ、こんなのどうかしらん」

といいながら、ぐふーんと鼻を鳴らした。すると彼は彼女の手からパンツを取り、

「うーん」

といいながら、ゴムの部分を両手で持って、伸ばしたり縮めたりした。それは明らかに彼女のお尻は入らないサイズだった。

「これじゃなくてさあ、他のにすればぁ」

ホストもぐふーんという感じでいった。

「そーお。じゃあ、これは」

次に手にとったのは、紫色のものすごく透けたパンツだった。このおばさんがそのパンツをはいている姿を想像すると、三日間は立ち直れそうもなかった。仕事で読んだ夫婦交換雑誌のグラビアで、こういうパンツをはいたこういう体型のおばさんが、何人も得意気にポーズをとっていたことを思い出したりした。

「これかあ」

ホストは紫色のが気に入らないようだった。

「ねえ、それじゃ、あなたが好きなのを選んでえーん」

トドは甘ったれてお尻をくねらせている。ホストが選んだのは、真っ赤のレースに黒いふちどりがついた三角形で、両脇には金色の輪っかがついているものだった。

「あっ、これ、かわいーい」

トドはとても喜んでそれを買っていった。

「愛人の好きな赤パンツ」だったのかもしれないが、なかなかすごい眺めであった。

ところが、つい最近、近所の大手スーパーの下着売り場で、久々に熱心にパンツを物色している男の人をみかけた。見た感じでは大学生のようだった。私の頭のなかにあった下着売り場に来る妙な人々と違って、いやらしい雰囲気などないふつうの人である。しかし、そういう人でもやはり腕組みしながらピンクやレースのついたパンツを見ているというのはちょっと異様だ。

　私はあの人はいったい何でこういうところにいるのかなあと思いながらレジに並んでいた。すると彼もピンクとクリーム色と水色のパンツを手に持って、私の後ろに並んだのである。他人を疑うわけではないが、突然、背後から、

「うひひ。あんた、どういうパンツはいてんの」

などといわれたらどうしよう、とビビっていたのだが、別にそういうこともなかった。

そして彼はレジの人に手にしていたパンツを渡し、

「プレゼントなので、ここの住所に送って下さい」

といって、女性の名前と住所を紙に書き始めたのである。

「今どきの若い男の子は、彼女に平気でパンツをプレゼントできるんだなあ」

と驚いてしまった。彼女もきっと彼の好みで買われたパンツを喜んではくんだろうし、トドみたいに相手の好きなものなら何でもいいという人もいるんだろう。だけど私がもしパンツをプレゼントされたとしたら、やっぱりギョッとする。自分のパンツは男の人に選んでもらいたくないと思うのだけど、こういう私のほうが変なのだろうか。

歯のレントゲン写真に胸がわくわくする私。歯医者での楽しみ方教えます

このところ八年ぶりで歯医者に通っている。去年から目の調子が悪くなって、今度は歯である。男の人は体の悪くなる順番が「歯、目、ナントカ」だそうだが、女の私にも次はそのナントカがくるのではないかと気が気じゃない。三十代なかばだというのに、まだ更年期障害では悩みたくない。

今回、歯医者に通うことになったのは、痛みも何もなかったのだが、チェックするつもりで歯医者に行ったら、神経を抜いた歯の根が炎症を起こしていることがわかったからである。これは前に行った歯医者の杜撰《ずさん》な治療によるものであるらしい。今、通っている歯医者さんは同業者を悪くはいわないけれど、神経を抜いたときにきちんと歯の根の治療をしておけば、こういうことはまず起こらないそうなのである。

「ここところが炎症を起こしてますね」

と私の口のなか全部のレントゲンを示しながら、彼は説明してくれた。目に見える部分以上に歯の根は長く、しっかりと歯茎にくいこんでいる。私は自分の歯の並んだレントゲン写真を見て、何となく胸がわくわくしてきたのだ。

こういうことを書くと、友だちに変態といわれるのだが、私は実は歯医者が好きだ。歯を削られるときに頭蓋骨にガーッと響きわたるドリルの震動にも充分我慢できるし、体調がいいときには結構気持ちがよかったりする。いろいろな器具が次から次へとでてきて、

「これはどういうふうに使うのかしら」

と口を開けながら見ているのもなかなか楽しいものだ。前の歯医者で神経を抜かれたときも、細い針金がついた器具を歯の奥に突っ込んだりするのも面白かった。こっちが楽しんでいる一方、抜いた医者のほうも、

「あれえ、女の人のこんなに太くて立派な神経って見たことない、ほら」

と抜いた私の神経をわざわざ見せてくれて、感心していた。今回は私の年齢も中年にさしかかっているので、これからの事も考えて、

「腕のいい歯医者さんを教えて」

と知り合いに電話しまくった。それで今通っている歯医者さんと出会ったのだが、こ

れがなかなかよろしくて、私は行くのがとても楽しみになっている。

まず真っ先にいわれたのは、

「歯磨粉をつけて歯を磨くのは、今後一切やめてください」

だった。そういわれてから歯ブラシだけで磨いているが何の問題もない。私が子供のころに通っていた歯医者は、腕は抜群によかったらしいが、強欲でいつもうちの親とお金のことでもめていた。歯が悪くなると、

「あそこは腕はいいんだけど……」

といいながら、親はいつも暗い顔をしていたものだった。八年前に通った私の神経を見て感心した歯医者は、やたらとひょうきんで、金銭的にも良心的だったが、腕はいまひとつだった。それまで二カ所しか行ったことはないが、とにかくまず歯の磨き方を教えてくれた歯医者は初めてだったのである。予約制だと治療する時間もせいぜい十五分くらいで、ちょこちょこっとやってセメントを詰め、また次にガリガリとセメントを削って治療をするという繰り返しで、ムダにセメントを削る作業が多くなるのだが、ここも予約制だが一時間かけてじっくりと治療をしてくれるのでムダなガリガリがない。治療するのも椅子ではなくて寝台なので疲れない。とはいえ一時間も口を開けていると、あごが永六輔になりそうだがそれにもなんとか耐えられる。看護婦さんが吸い取り機と小さいシャワーみたいなものを持って、口の中を随時きれいにしてくれる。だから、

「口をゆすいで」

といわれて、ベーっとやったときに、小さな流しが血だらけになって、

「げーっ」

とめげることもないのだ。

歯の根の治療は、とにかく先の細い器具を何種類も使って、根っこをグリグリする。センサーがついたらせん状の細い針金をだんだん奥にねじ込んで、歯の根をきれいにする。そのあとに薬を詰めてもらうと、

「こうやってだんだん治っていくのだわ」

と、とてもうれしい。BGMにはJ－WAVEがずっとかかっていて、それがなかなかお洒落でもある。

歯は一度悪くなったら、薬を飲んで寝ていても、じーっとしていても絶対に治らない。それが歯医者に行けば行くほど歯は修復されるのだ。こんなに楽しいことはないではないかと友だちにいっても、みんなの反応はとても冷たい。

「いざ、行かん。歯医者へ」

という私の主張は、周囲の人々にはほとんど理解されてないようなのである。

カルガモに浮かれるヒマがあるならば思いを馳せよ、保健所送りの犬猫に

何年か前に、ある新聞社で広告モニターの仕事をしたことがある。掲載された広告についてその感想を月報に書き、それを広告主に送るというシステムになっていた。あるとき日曜版の新聞を開いたら、一ページにびっちり仔犬の写真が載っている広告があった。どこかで犬の博覧会でも催されるのかと思ってよく見たら、それは大手のデパートが取り扱っている、仔犬のテレフォン・ショッピングの広告だったのである。柴犬、マルチーズ、パグ、ポインター、テリア、ビーグルなどの可愛い仔犬の写真と共に、「かわいいワンちゃんを電話一本で御宅までお届けします。専門の係員が付き添いますので心配はありません」

などと書いてある。生き物をタオルやカリフォルニア・オレンジみたいに、電話で注

文番号をいって届けてもらったりするお客や、こういう広告を出す老舗《しにせ》のデパートの神経が理解できなかった。そして一番頭に来たのは、

「お届けして気に入らなければ、すぐおとりかえします」

と書いてあったことである。これではまるで美顔器や脱毛器と同じではないか。人権ならぬ犬権はどうなるのかと、むかっとした。

私は頭からツノを出し、原稿に、「こういう広告を出すほうも出すほうだが、こういうものを利用して買う人間の気が知れない」と書いて編集者に渡した。すると折り返し彼から電話がかかってきて、あの原稿はちょっと困るという。理由を聞いてもはっきりわけをいわないのだが、新聞社にしてみれば全面広告を出してくれるところはいいお得意様だから、なるべく波風をたてたくないといったところなのだろう。しかし誉めるばっかりのモニターじゃ仕方ないので、とにかく原稿は書き直しませんと念を押して、

「あんな広告を出しても、買う人なんていないでしょ」

ときいてみた。ところが私の予想に反して「かわいいワンちゃんのテレフォン・ショッピング」はとても評判がよくて、電話が鳴りっぱなしだというのである。電話一本で犬を買い、気に入らなければ平気で「取り換えて」といえる人間は、きっと赤やピンクのへんてこな服を犬に着せて、

「とっても、かわいいわぁ」

と勝手に喜ぶタイプに違いない。

知りあいの奥さんが、道端に二匹の仔犬が捨てられているのを見つけて拾ってきたことがある。一匹は自分の家で飼い、もう一匹は隣町にある実家に連れていって飼ってもらうことにした。ところが朝昼晩と御飯をやると必ず半分残す。量が多いのかと半分に減らしても必ず半分残すのである。別に体の具合は悪そうでもない。実家に電話をかけて聞いてみたら、そこにもらわれていったほうもどんなに量を減らしても必ず半分残しているというのであった。半分食べないまま減らしていったら最後は食べるものがなくなってしまう。これはもしかして一緒に捨てられていた兄弟がどこかにいってしまったために、いつ戻って来てもいいように御飯を残しているのではないか、と飼い主は想像し、仔犬たちを安心させようと犬の御対面を計画した。実家に犬を連れていって二匹別々に御飯を食べさせ、「ちゃんとこの家でお世話になっているから大丈夫」といい聞かせたというから大変な手間である。それから犬たちは出されたものを全部平らげるようになったそうで、効果はあったようだ。仔犬があの小さな頭でいろいろと考えていると思うといじらしい。

こういう話を聞くと、人間の都合で捨てられてそのまま保健所送りになってしまった犬猫は本当に気の毒としかいいようがない。カルガモに浮かれているヒマがあったら、少しはこういった犬猫のことを考えろといいたい。

つい最近まで、私は駅前で紙の手さげ袋のなかから仔犬を取り出した男に、

「犬買いませんか」

とよく声をかけられた。それが、自分の家で生まれた犬をあげようとしているのではなく、どうもうさんくさいのである。友だちからかわいい仔犬は気を付けないと犬さらいにさらわれる、という話を聞いたことがあるから、犬を扱う山椒太夫みたいな人かしらと思ったが、真偽のほどはわからない。仔犬はふてくされたような顔をして、ただされるがままになっている。いつまでたっても捨て犬捨て猫は絶えず、路上で犬を売り、まるでモノ扱いである。しかしその一方で妙なかわいがり方をして、動物嫌いの人にまで迷惑をかける飼い主がいるのもよくないと、ぶつぶついいながら歩いていたら、もてはやされていたはずのアイドル、ウーパールーパーがぺったんこになって道端で死んでいるのを目撃した。全く次から次へと怒るネタが減らない困った世の中である。

なんとかしてくれ性悪カラスの大発生
のらカラスは鳥の世界のヤッちゃんだ

私はたいていの動物は好きである。ヘビもトカゲも、爬虫類《はちゆうるい》みたいな男以外はたいていのものは好きである。しかし、カラスだけはどうも好きになれない。相性が悪いのである。

今から二十年くらい前、私は学校の友だちと、正月休みに明治神宮にいった。あまりの人の多さにビックリして、おまいりもせずに人気《ひとけ》のない砂利道を歩いていたら、カラスが植え込みの中でボケーッとしていた。それを見て私たちは、のら犬やのら猫をからかうのと同じように、おいでおいでをしたり、ホレホレといってふざけて追っかけまわしたりした。カラスはそのたんびに別段怒ったふうでもなく、

「仕方ない子供だ」

という様な態度で、私たちを無視していたのである。十分くらいカラス相手に暇つぶしをして、私たちはまた砂利道を歩きだした。しばらくいくと、どうも様子がおかしい。何物かのけはいがする。そーっと後ろをふりかえってみたら、カラスがバッサバッサと大きな音をたてながらすさまじい勢いで私たちめがけて突進してくるではないか。カラスが羽を広げると、あんなに大きいとは思ってもみなかった。私たちは仰天して、

「ひえーっ」

といいながら、これ以上必死になれないくらい走った。あまりに恐ろしくて走っている途中で涙がボロボロ出てきた。後ろなんかふりむかないでただひたすら全力疾走するのみ。友だちのことなんかかまっておれず、自分さえ助かればいいと思った。これは一緒にいた友だちも同じだったと思う。それくらい余裕がなかったのである。カラスは鼻水と涙で顔面ぐじゃぐじゃになった私たちの頭の上スレスレを飛んでいった。その瞬間、髪の毛が逆立った。

カアカアと勝ち誇ったかのように鳴きながら、カラスは去った。私たちは呆然と砂利道に立ちつくし、顔見合わせてため息をついた。落ち着いてきたら腹が立ってきた。だいたい犬にしろ猫にしろ、人間がちょっかいを出すと、それなりに態度を示すものである。人なつっこいのはすり寄ってくるし、うるさいと思えば無視するし、恐いと思えば逃げるし、それによってこっちも相手のことがわかるわけである。しかし、あのカラス

ないのである。それ以来、どうもカラスを見ると面白くはないか。動物のくせに素直さが欠けている。それ以来、どうもカラスを見ると面白くの奴は知らんぷりをしていたくせに、背後から狙いうちしてきた。あまりにあくどいで

ところが最近、うちの近所でカラスが異常発生し、異様な雰囲気になってきた。一羽や二羽ならまだしも、あっちこっちで徒党を組んでカアカアやっている。志村けんが歌ってたみたいに、カアカア鳴くのはカラスの勝手だが、どうもカラスの鳴き声というのは陰気くさくていけない。いい気分で青空を見上げていたのに、あのカアカアがきこえるとだんだん首うなだれて最後には背中が丸まってしまうのである。朝、ゴミを出しに行くと連中はポリ袋をつっつきまわして中のゴミを漁っている。道路には残飯が散らばってものすごい臭いが漂っている。人が近づいても逃げない。人間のほうが遠慮して、そーっとゴミを置いて足早に立ち去る始末なのだ。電線に止まって平気でフンをたれるので、フン爆弾を被弾した人を何人も目撃した。

エサに不自由していないらしく、体はコロコロに太って黒光りしている。くちばしも太くて力強いし、ただ見ている限りでは、なかなか堂々としている。カラスのほうが、うちの実家で飼っているインコのピーコちゃんより、はるかにきれいなのである。しかしあの目つきは恐い。鳥の世界のヤッちゃんのようである。私はなにしろ過去に苦い経験があるので、ついカラスのそばにいくとおびえてしまう。すると彼らはそれを見すか

したように、ひと声、カアーと大きく鳴いたり、突然羽ばたきしてこちらに来ようとしたりして挑戦的態度をとるのである。内心、

「バカにすんな」

と思うのだが、根が小心者なのでカラスさんのごきげんを損ねないようにコソコソと逃げてしまう自分が本当に情けない。スズメは人に慣れないながらもほっぺたの黒い丸がかわいいし、ハトもフン害が問題になったが足を交互に出して歩く姿はなかなかのどかである。しかし、カラスは何のためにいるのか全然わからない。モノトーンの流行からいえば、鳥のなかでも一番シックな鳥なのだろうが、とにかく根性が悪い。のら犬をつかまえるくらいなら、のらカラスを何とかしてほしいのだ。きょうも朝、四時三十分に、カアカアという声で目がさめてしまった。カラスにはカラスの人生があるんだろうが、寝不足の夏場だけでもいいから、近郷近在《きんごうきんざい》の山に帰ってほしいと思うのである。

死んじゃうかも……正月の餅の悲劇にひるんだ私。今の子供はかわいそう

私が子供の頃は、お店でパック入りのお餅がいつでも買える時代ではなかったので、お米屋さんがのし餅を抱えてくると、子供心に、

「もうすぐお正月なんだなあ」

と感じたものだった。誕生日とクリスマスにしか食べられなかったケーキ。病気のときと遠足のときしか食べられなかったバナナ。お正月にならないと食べられなかったお餅。今の子供たちには、どうしてこんなものを楽しみにしていたんだろうと不思議がられるだろうが、当時の私にしてみれば、みんなおいしくてたまらない、夢のような食べ物だったのである。

お餅が届くと母親が包丁で切り分けた。そのうちのほとんどは雑煮になるのだが、私

は食事として食べるお餅、お菓子として食べるお餅に、

海苔の香りがする「磯辺巻き」や、チーズをのせて海苔で巻いたハイカラな「チーズ巻き」もよかったが、いちばん好きだったのは、甘い「きなこ餅」だった。火鉢の上の鍋の中で湯がぐらぐらと煮立ち、母親がお餅をいれると、いてもたってもいられずに箸を手にしたまま鍋ににじり寄っていく。

「あんたがそんなに近寄ったって、お餅がすぐに柔らかくなるわけじゃないんだから、おとなしく座って待ってなさい」

いつも母親に怒られて、

「それもそうだ」

といちおうは納得してちゃぶ台に戻る。しかしやっぱり鍋の中のお餅がどうなっているのか気になって仕方がなく、しばらくするとまた何かに操られるように、箸を持ったままふらふらと鍋ににじり寄ってしまうのだった。とろーんと柔らかくなった白いお餅が、砂糖まじりのきなこの中で、ぼてぼてとした黄色に変わるのを見ていると、猫みたいにゴロゴロと喉《のど》を鳴らしながら、うれしくて身をよじりたくなった。ところが、

「はい、おまちどうさま」

と待ちに待ってやっと自分のお皿に配給されると、少しでも早く食べたいと思う反面、いつもふっと箸が止まってしまう。今まで忘れていたのに、さあ、食べるぞというとき

に思い出すことがあったからだ。

毎年、お正月になると両親は新聞を読みながら、

「あらー、まただ。お気の毒だねぇ」

と話をしていた。それはお餅を喉につまらせてしまったことによる、老人の「餅の悲劇」の記事についてであった。

「お餅は急いで食べたらだめよ。よく嚙んで食べないと息ができなくなるんだからね」

母親は神妙な顔をしていった。お餅は大好きなのだが、いざ食べようとすると「餅の悲劇」の話が頭をかすめてしまうのだ。

「私はまだ五歳で、来年は小学校に行かなければいけない。お餅なんかで死んじゃいけないんだ」

がっついて食べると喉に詰まらせそうな気がしたので、少しずつちぎろうとするものの、まだ上手に箸が使いこなせるわけではないので、お皿の上でお餅はのたうちまわった。

「何をこねこねやっているの。食べ物で遊んじゃだめ」

子供の気も知らないで母親はそういった。

「ちいさく嚙み切ればいいんだ」

がぶっとかぶりついても、当時のお餅ののびといったら驚異的で、軽く自分の手の長

お餅を食べるのは大変なことだった。しかし緊張しながらもひと口食べると、体の奥からじーんと幸せな気持ちになった。現在売られているパックに入ったお餅では、すぐ切れてしまうから、そういう苦労はしなくてもすむけれどどうも味気ない。へたをすると命を落としかねない、スリルに満ちた食べ物という思いが、子供の私によりお餅をおいしく感じさせていたような気がするのである。

無視せんと思えど気になる「大殺界」
一喜一憂、世に占いの種は尽きまじ

占いというものは、当たらないとおもっているものの、どうも気になるものである。手相、血液型、星座など、ありとあらゆる占いが次から次へと出てくる。私は占いには興味はあったが、それほど信用するタイプではなかった。というのは、私の友だちが一時間も路上に並び、有名な占い師に見てもらった結果が、見事に大はずれで、当たると評判の占い師でも、万人のことがわかるわけではない、という結論に達したからである。と、でかい態度でいたのは、二十代の頃だ。三十代になってからは、信用してないといいながら、正直いって占いの結果が気になって仕方がないのである。

私の友だちの家に、その問題の占いの本が置いてあった。そこに悲惨なことが書いてあったため、私はしばらくめげた。それによると、私はとても「淫乱」な星のもとに生

まれたそうである。いかに活舌だということ

あまりに露骨なためここに書くのははばかられる。とにかく、なんでもござれの「ケダモノ」のような体質らしいのである。

私と同じ星のもとに生まれた、各界の著名人のリストを見ると、「アン・ルイス」「ビートたけし」「ダンプ松本」「輪島」の名前があった。どの名前をみても、性格的に私と共通点があるような気がするし、おまけに輪島まで出てきてしまっては、私のこれからの人生に、暗たんたるものを感じてしまったのである。

そのうえ私は今年から三年間は、「大殺界」といって、八方塞《ふさ》がりの年らしい。その期間には、結婚、転居、新居購入、転職など、新しいことはやってはいけない。それを破ると、ヘタをすると自分の生命まであぶなくなる、という恐ろしさなのである。そして「大殺界」に入ったら、今まで自分が手に入れたものを、全部はきださなければならないという。思い出すのも悲しいが、会社に勤めながら、睡眠を三時間しかとらずに必死に原稿を書き、締切を知らせる電話に怯えて、ベルの部分に消音のためにティッシュペーパーを丸めて詰め込んだりした。そんな思いをしてやっと「マル優」ということばが身近に感じられるようになったのに、その虎の子を手放さなければならないなんて、本当に、

「トホホホ」

と、うなだれてしまう。しばらく暗くなっていたら、本を見せてくれた友だちから、「大殺界」をどう乗り切ればいいかという本が出ている、という電話があった。彼女は今年から、どんどん運勢が上昇するとでているので、すこぶる機嫌がいいのである。早速、書店に行って、立ち読みしてみると、仏壇を買ってきちんと拝めと書いてあった。私の親は宗教が嫌いで、もちろん仏壇なんかはなかった。私だって、いくら「大殺界」を乗り切れるからといって、仏壇みたいなうっとうしいものは、自分の部屋に置きたくないのだ。

でもそれをしないと、命があぶなくなるかもしれない。別に百歳まで生きたいとは思っていないが、なーんにも楽しい思いをしないまま、「はい、さようなら」になってしまうなんて、そんなことは許せないのである。となるとやっぱり、今までチマチマ貯めた金をはきだすしかないかと、悲しく考えていたわけなのだ。

昨年末、私は中年の男性編集者と打ち合わせをした。彼は、原稿がなかなか書けない私を励まし、

「来年は、マンションが買えるくらい、売れる本を作りましょう」

と、いってくださった。そういわれても、占いの件で、今ひとつ気分が乗らない私は、

「来年から大殺界とやらで、物事はすべてうまくいかないそうです」

と、答えた。すると彼は、とっても寂しそうな顔をして、

「私の今までの人生は、ずーっと大殺界でした」

と、うつむいておっしゃった。子供の頃はシラミ取りのＤＤＴを頭に散布され、イモを食い、会社に入ったら子供や家のローンのために必死に働き、マジメだから女に手を出すこともせず、辛くなっても啄木みたいに、

「じっと手を見る」

くらいしか出来なかった人生は、ふつうの平凡な人生だが、ずーっと大殺界といえるかもしれない。

私は自分一人だけが食っていけばいいのだが、目の下にクマを作り、肌をガサガサにした頃のことを思い出すと、何と健気《けなげ》だったんだろうと思う。世の中のほとんどの人は、みんなマジメに働いている。それなのに、そのうえ「大殺界」などという、わけのわからない「人生の落とし穴」を、いったい誰がつくったんだ！　と怒りながらも、それを無視できない私が腹立たしいのである。

町中の軍艦マーチに思わず「イチ、ニ」と体が動く。こんな私に誰がした

町中を歩いていて一番恥かしいのが、パチンコ屋の前を通ったときである。だいたいそこでは軍艦マーチや行進曲の類いが、ガンガンかかっていることが多い。戦後四十年以上たっても、日本人の気持ちを高揚させるのはああいった音楽しかないのか、物凄い大音量である。あの行進曲が聞こえてくると、突然私の足は、何かにあやつられるように変化をきたす。そこまでは何も意識せずに歩いてきたのに、行進曲が聞こえると曲のリズムに合わせて、

「イチ、ニ、イチ、ニ」

と行進しそうになってしまうのだ。そんなみっともないことをしてたまるかと、頭の中で何とかリズムをずらせて歩こうとするのだが、意識すればするほど緊張してけっつ

まずきそうになる。だから遠くから曲が聞こえてくると、こそこそと遠回りになっても別の道を歩くようにしている。これは子供の頃から学校でしつこく、行進だの整列だのを仕込まれたせいではないかと恨んでいる。

今から思えば小学校の教師が、なぜあんなに子供たちに整列を強制したのか理解に苦しむ。女の先生はそうでもなかったが、男の先生は整列のときは目つきが違っていた。朝礼のときに日に焼けたごつい顔の体育教師が、

「前にならえ」（凄い言葉！）

と号令をかける。そして朝礼台からキッと全校生徒を見渡して、

「四年三組の後ろから五番目の生徒、曲がっているじゃないか」

と怒鳴り、

「きちんと真っ直ぐになるまで、何回でもやり直しさせるからな」

と目をギラギラさせながらいうのだ。いくらいってもいうことをきかない生徒は、朝礼台からものすごい勢いで降りてきて、一発ブン殴るという始末だった。そして全校生徒が教師たちが気にいるようにまっすぐに並ぶと、校長が出てきて話をする。やっと朝礼が終わって教室に帰るときも、行進曲に合わせて「一糸乱れぬ行進」をしないと、これまたやり直しをさせられた。まるでミニ軍隊のようだった。

当時、私はどうしてきっちりとまっすぐ並んだり、行進曲に合わせておもちゃの兵隊

みたいに歩かなければいけないのか、とっても不思議だった。ベラベラ喋って話を聞かないというのならともかく、とりあえず縦に並んでいればいいはずだ。同じクラスの男の子が、例のごつい顔の体育教師に、

「どうしてあんなにきちんと並ばなければいけないんですか」

と聞いたら、

「教師のいうことを聞け」

とだけいってごまかした。私たちはブン殴られるのが怖いから、嫌だけど我慢して「前にならえ」や「行進」をしていたのだ。

中学は同じような状態が続き、高校生になってやっと解放された。しかし恐ろしいことに、大学の前期の体育の授業が、何と「行進」だったのである。前期の授業中、男子も女子もただひたすら歩き回っていた。

「イチ、ニ、イチ、ニ、ぜんたーい、とまれ！　イチ、ニ」

をヘドがでそうになるほどやらされた。四人一組になって、そこいらへんを歩き回り、

「ぜんたーい、とまれ！　イチ、ニ」

といったときに、ぴたっと四人の足並みが揃わないと、合格点がもらえないのである。

私たちのグループは一回で合格したが、ものすごくニブイ人がグループにいると、連帯責任で何度も何度も同じことをやらされる。何度やってもうまくいかないグループは、

しまいには、

「あんたが悪いのよ」

とニブイ人を糾弾しはじめたりして、友情なんてあったものじゃなかった。一番気の毒だったのは一緒に授業を受けていた、四浪して大学に入ったものの、卒業の条件である必修科目の体育の単位を取っていない、八年生の男の先輩だった。彼はいつも、

「おまえらはまだいいよ。おれなんか三十でこんなことやってるんだぜ」

と恨めしそうにいっていた。もとはといえばいままで単位を取らなかった彼が悪いんだけど、三十歳で「イチ、ニ、イチ、ニ」をやらされたんじゃたまらなかっただろうなあと思う。単位をもらうためにはやらなければならなかったのだが、あれがいったい社会にでて、何の役に立ったのかいまだにわからない。小学校のときといい大学の授業といい、一番気持ちがよかったのは、自分の指図で人を動かしていた体育教師だけだろう。あいつらを満足させるために、あんなことをやらされたなんて思い出すだけでも腹が立つ。行進曲を聞くと、思わず「イチ、ニ」となってしまう、こんな体になった私をどうしてくれる、と彼らにいいたくなってしまうのである。

マスコミに操られて愚かな印象を振りまく女子大生を尊敬してしまう

仕事をしていたら、つけっ放しにしていたテレビから、「スケート・リンクがオープンして、女子大生が初滑りを楽しんでいました」というニュースが流れてきた。何気なく画面を見たら女子大生がスケート靴をはいてお互いにしっかと手を握りあい、腰をガクガクいわせながら必死になって氷の上を歩いている。そういえば夏のプール開きのときも同じようなニュースが流されていた。スケートはまだしもプールのときは、水に入るには少し低い気温だというのに、みんな見事な太腿《ふともも》をあらわにしてぶるぶるふるえながら水の中に入っていた。浮かべられたゴム・ボートによじ登るのに失敗して股を開いて水中に落下したり、子供みたいにキャーキャー大騒ぎしながら水を引っ掛けあったりしていたのだ。「こんなつまんないこと放送するな」と、毎年繰り返されるこの手のニユースを見るたびにぶつぶついっていたのだが、ふと、こういったプール開きやスケート・リンクのオープンのときに、必ず女子大生がその場にいるのはなぜだろうかと、突然、不思議に思えてきたのである。

真っ先に泳いだりスケートをしたいのは何も女子大生ばかりではあるまい。泳ぎの好きな人は山ほどいる。しかしニュースの画面に映し出されるのはすさまじい数の女子大生である。おなかのせり出たおっさん、若い男の子のかげも形もない。子供の姿も見えない。単にオープンしたことを知らせるのだったら、おっさんや男の子でもいいじゃないかと思うのだが、ニュースではことさら「『女子大生』が視聴者のみなさんより先に、今年『初めて』楽しみました」ということを強調している。きっと誰かが裏から手を回して、女子大生が大挙して押し寄せたかのように見せているのだろうし、そうでなければアルフィーのコンサートじゃないんだから、あんなに女の子が集まるはずがない。広告代理店の若いのが上司に、「学生時代のクラブの後輩をかき集めてこい。顔がアップにならないから質よりも量だぞ」などと命令されて必死にかき集めてきたのに違いない。彼女たちは集団じゃないと価値がないのである。

あるときは、かき集められた女子大生が女性だけの討論会に出席していた。「女の生き方」をテーマに、ポルノ女優、詩人、ＯＬなどが出ていたのだが、女子大生はポルノ女優の仕事を非難したりして、口だけは達者に頑張っていた。男には好かれるが、女に

は嫌われるタイプの女子大生のうちの一人は、「女も仕事を持たなければいけない」という意見に反対して、

「どうして好きな人のために料理を作ったり、子供の世話をしたりするのがいけないんですか」

とエキサイトしていた。私はテレビの前で、

「これは面白くなってきた」と喜んでいた。

ところが議論が伯仲すると思っていたのに、詩人で主婦でもある人が、

「私は詩人だし、主婦もやってますけど、はっきりいって家事だけやってるとバカになりますよ」

と、ひとことといったとたん、彼女はしゅんとして黙ってしまったのである。女子大生はひとつのことしかやっていない人に対しては突っ込んでいくが、主婦でもありまた職業人として働いている人に対しては、返す言葉がないのである。仕事を非難されたポルノ女優たちもちゃんとした意見を持っていたし、やはり中では女子大生が「考えが浅い」としか思えないような番組になっていた。

プール開きやスケート・リンクのオープンにかりだされて能天気に騒ぎ、討論会では先輩の女たちに叩かれたりして、女子大生は本当に世の中で都合のいいように使われている人種だ。誰でも彼女たちを見ていると、優越感にひたることができる。「あんな事

やってバカだなあ」とバカにできるし、おじさんたちは、「性格なんてどうだっていいから、ああいう若い女の子とお付き合いしたい」と妻の三段腹を思い出しながらでれーっとするだろう。

結局のところ他人をいい気分にさせる人々なのである。世の中はいつでも「馬鹿にできる存在」を求めているから、その役を仰せ付かった女子大生は任務をしっかりと果たしている。まだ暑くならないのに震えながらプールに入ったり、巷《ちまた》の人々がセーターさえ着ていないのに、手袋までしてヘタクソなスケートをやって見せる人がどこにいるだろうか。金がからんでいたとしても、結局はそういうことをやってしまう人たちを、私はある意味で尊敬してしまう。彼女たちから愚かなイメージがなくなったら一番困るのはマスコミだろう。もしもそういう日がきたら、少なくともプール開きとスケート・リンクのオープンのニュースは放送されなくなるに違いない。

TV、雑誌のグルメ情報、立腹するのはいいけれど、裏には恐〜いことがある

先日、新聞の読者投稿欄を読んでいたら、テレビや雑誌で紹介された料亭やレストランに行って怒っている、おじさん、おばさんの投書が相次いで載った。おじさんの怒りはこうだ。彼は友人とそのレストランに行ったのだが、その店の態度がすこぶる悪い。ワインをたのんだら、

「注文した料理にそのワインじゃ、味がぶち壊しになる」

と難癖をつける。不愉快に思って料理を食べずに店を出ようとすると、

「店だって客を選ぶ権利がある」

と捨てぜりふまで吐いたそうなのである。

おばさんのほうは、懐石料理を食べに行って、テレビで女優さんが食べていた料理を

注文したら、ついこの間のことなのに、

「もうあれはやってません」

ときっぱりといわれ、そのかわりに注文したものは、値段はしっかり取っておきながらテレビのとは雲泥の差の、粗末な料理だったというわけである。

おじさんやおばさんの言い分によれば、テレビや雑誌に紹介されていたから信用して行ったのに、ということになるのだが、情報が氾濫している現在の状況を考えると、恐ろしいなあと思った。

私が物書き専業になってまもなく、ある女性誌から電話がかかってきた。行きつけのレストランを紹介してほしいという。それもちょっとお洒落なランチを食べさせてくれるところがいい、というのである。私は困った。なぜなら私は殆《ほとん》ど自炊で外食をしないし、ましてやちょっとお洒落なランチなんか、食べたことがなかったからである。

「そういったところは知りませんから」

と断っても、相手は、

「行きつけじゃなくても、どこでもいいです」

などという。それじゃあ依頼してきたことと違うじゃないかと思ったが、相手もしつこく食い下がってくる。そのとき頭に浮かんだのは、何年か前、友だちにたった一回だけ連れていってもらった、南青山のレストランだった。

「一度しか行ったことがないんですけど」

とその店のことを話すと、相手は、

「ああ、そこでいいです、そこで。南青山だったら何とか格好がつきますから」

という。で、私は行きつけでも何でもない、たった一回しか食事をしたことがないその店で、お洒落な二千五百円のランチを食べているところを写真に撮られ、いかにその店を気に入っているかと編集者に聞かれた。そんなことといわれたって、どこがいいかよくわからなかったのだが、さすが編集者はプロであった。

「このテーブル・クロス、なかなかいいですね」

と私に水を向ける。それについて私が、

「そうですね」

というと、その言葉をメモに書き込む。送ってもらった掲載誌を見たら、

「食事もおいしいし内装も素敵。テーブル・クロスやナプキンもとってもかわいい」

と、私が南青山のその店の常連のような、見事な記事ができあがっていたのである。私のことを知っている友だちは、その記事を読んで、

「あれでっちあげでしょ。あなたがそんなところでお昼を食べるわけないわよ」

と見破った。ところが、読者の女の子から、

「雑誌に行きつけの店だと書いてあったので、先日、行って待っていましたが、いらっ

しゃいませんでしたね」

という手紙をもらって、私は冷や汗が出た。つくづくこんな事はするもんじゃないと、それ以来そういった依頼は全部断っている。

テレビや雑誌に紹介されているからといったって、自分が気に入るかどうかわからないのに、情報を知りたがっている人たちは、妙に傲慢なのだ。おじさん、おばさんも、ただふらっと立ち寄った店でそういう扱いをされたんだったら、新聞に投書したくなるほど怒らなかっただろう。それは自分の意思で決めたからである。ところがテレビや雑誌で紹介された店に行くと、自分の意思で決めた事はどこかに行ってしまい、「だまされた」と勘違いしてしまうことが怖いのである。

もちろん、情報のなかには正しいものもたくさんあるだろうが、私がやってしまったように、適当なものも中にはある。それを全部鵜呑《うの》みにするのは危険だ。

情報が氾濫しすぎている今、私たちは世の中に対してお客さんになっているんじゃないか。まわりがお膳立てしてくれるのを、じーっと待っているだけである。そしてそれが気に入らないと怒る。店の態度が悪いとか、料理がまずいくらいで済めばいいが、そういうことに隠れて、実は恐ろしいことがひたひたと押し寄せてきているのではないか。いちいち些細なことを疑うのも嫌だが、あまりに物事を疑わないのも、あとで取り返しがつかないことになるような気がするのである。

乙女心を刺激する「夜のお菓子　うなぎパイ」にネーミングの真髄を見た

私が初めて「うなぎパイ」の存在を知ったのは高校生のときだった。いまは発行されていない「ビックリハウス」という雑誌の読者の投稿欄に、

「浜松には、夜のお菓子『うなぎパイ』という名物がある。近所のおじいさんは若い後妻をもらい、毎日うなぎパイを食べていたら子供ができた」

という記事が載っていたからである。私は友だちとそれを読んで、

「うなぎパイなんて気持ち悪いわね。夜のお菓子ってことわってあるところをみると、もしかしてこれは、大人のおもちゃを売っている店にあるのかもね」

と話していた。そして「夜のお菓子　うなぎパイ」が話題になるたびに、ひと目でいいからそれを見てみたいと思った。私たちはまだ見ぬ「うなぎパイ」の姿を、あれこれ

想像していた。友人Aは、

「うなぎの輪切りが、パイの間にサンドウィッチされているに違いない」

といった。友人Bは、

「頭を落したうなぎを、丸ごと筒状にパイ皮でくるんだもの」

といった。私は、

「うなぎのすり身のペーストが、パイ皮に挟んである」

と想像した。しかしどれもこれも考えただけで気持ちが悪くなった。そして「夜のお菓子　うなぎパイ」が、いったいどういうものであるかわからないまま、私は高校を卒業してしまったのだ。

大学にはいると、同じクラスに浜松出身の男の子がいた。私は早速、

「うなぎパイって知ってる」

と聞いた。すると彼は、

「夜のお菓子でしょ。浜松でうなぎパイを知らない奴はモグリだよ」

といって胸を張るのだ。地元の人が胸を張るということは、そんなに気持ちの悪いものではないということだけはわかった。

「うなぎパイってどういうもんなの」

と何年も前からの疑問をぶつけてみた。

「ふつうのお菓子と同じだよ。うなぎの格好をしているわけじゃないし、見かけは変わってないの。ただパイの中にうなぎのエキスやガーリックがはいってるだけ」

というお答えだった。ホッとした反面、ちょっとつまらなかった。彼は「うなぎパイ」に執着をもつ私のために、帰省した折りにわざわざ買ってきてくれた。彼のいうとおり、全然気持ち悪くない普通のお菓子だった。夜のお菓子というわりには、寝るときも「はあはあ」しなかった。もしかしたら男の子は違うかもしれないと、うなぎパイを食べたクラスの男の子たちに聞いてまわったら、バカにされてしまった。私と「夜のお菓子　うなぎパイ」との御対面は、このようにちょっと期待外れに終わってしまったのである。

そしてついこの間、ひさしぶりに「夜のお菓子　うなぎパイ」に再会した。浜松生まれの知り合いの女の子が贈ってくれた宅急便の品名をみたら、贈られてきたのはやっぱり「夜のお菓子　うなぎパイ」だった。大きな箱を開けると「うなぎパイ」のとなりに、おせんべいみたいな丸い物が入った袋がある。パッケージをよく見ると、そこには「朝のお菓子　すっぽんの郷《さと》」とあるではないか。知らないうちにこんなものまで発売されていた。封入されている「すっぽんの郷」のしおりには、すっぽんについての豆知識まで載っていて、

「一匹のオスは数十匹のメスを従え、ハレム暮らしの幸せものです」

などとお茶目なことまで書いてある。おまけに「朝」「夜」ときたら当然「昼」もあった。昼のお菓子は乾燥海老をフレーク状にして練り込んだパイである。この三種類がはいった、朝、昼、夜詰合せセットは「お菓子のフルタイム」というそうである。パンフレットに「ファンタジックな味」とあるのも、わけがわからなくておかしい。

「夜のお菓子　うなぎパイ」はおみやげでもらっても大喜びはしないけど、何となく口もとがゆるんでしまう。友だちに、

「夜のお菓子　うなぎパイって知ってる？」

なんていったりして、結構それで話が盛り上がったりするのだ。スキーにいった人からもらった「白い恋人たち」も、札幌にいった人からもらった「ラーメンまんじゅう」なんかもそうだ。いったいこういうことは、どんな人が考えているのだろうか。若い人だったらおかしいし、おじさんだったらもっとおかしい。おしゃれでかっこいい広告を作る人も凄いけれど、それよりも普通のパイやまんじゅうにインパクトの強いネーミングをつけておみやげ業界で生き残り、いつまでも巷の人々の話のタネになるほうが、もっと凄いんじゃないかと思ってしまうのである。

賢いはずのワープロだけど、使ってみれば便利な分だけ面倒くさい

こんな事を書くと、友人及び周囲の人々にハリとばされるかもしれないが、最近私はワープロをつかうのに飽きてしまった。ワープロを購入して一年になるが、その間友人や編集者に「ワープロを使うと右脳も左脳も働くらしいし、肩も凝らなくていいよ」とワープロの良さを得意になって話し、購入時の相談にまで応じていたのだ。そして今までに十人の人間がそこそこ値段の張るワープロを購入してしまったのである。

私がワープロを買ったのは、フリーライターの友人の影響である。彼女のアパートに遊びに行ったら、ＣＲＴ付きのテレビのようなワープロが、デンと机の上に置いてあった。彼女はそのボディを撫《な》でさすりながら、

「これ、とっても賢いのよ。ワープロを使うと手書きする気なんかなくなっちゃうわ」

といった。彼女がワープロを打つのを見ているとなかなかかっこよく、文章を作るにも悪戦苦闘しているようには見えない。

「単語登録だってできちゃうんだから」

キーワードを打つと単語が自動的に画面に出るのだと彼女はいばった。登録してある単語のリストを見せてもらったら、「恥骨」だの「陰嚢」だのがあってビックリしたが、これがまた便利な機能だということだった。原稿書きによる肩凝り、仕事に対する意欲の減退について悩んでいた私は、これを買えば何とか現状が打破できるかもしれないと思い込み、早速その機種の基本操作方法を教わった。

そして翌日、旅行用のカートをずるずる引きずって近所の電気製品の大安売店に行ったのである。ところが陳列棚には欲しい機種のところが値札だけ付いて空いている。店員のお兄ちゃんに尋ねたら十分ほど前に売り切れたばかりだという。それを聞いたら何とかして今日中に手に入れたくなり、また二十分ほど歩いて別の安売店に行った。そこでやっとお目当てのワープロを手に入れた。

最初の頃は字を書くスピードで打てないものだからいらいらした。変換する漢字がすぐ出てこないので、

「ほんとは頭悪いんじゃないの」

と、ぶつぶつ画面にむかって文句をいっていた。そしてやっと何とか好きなように打

てるようになったら、ワープロに疑問を持つようになってしまったのだ。

事件は三十八度の熱と吐き気と下痢というすさまじい風邪をひきながら、死ぬ思いで四百字詰め原稿用紙四十枚分の原稿を打ち上げた時に起こった。誤って辞書をキーボードの上に落してしまったら、よりによって一番重要なキーに本の角が当たり、一瞬のうちに原稿が消失してしまったのである。

「ギャーッ」といいながら、あっちこっちキーを叩きまくってみたが、どうやってもどうにもならない。そのとたんますます頭が痛くなってきて、そのまま「うーん」とうなって布団をかぶって寝込んでしまった。ショックで二日間立ち直れなかった。こういうアクシデントがあると、ワープロでないと原稿が書けなくなってしまうことがとても怖い。この仕事を始めた頃は、小生意気に「原稿用紙は○○のが一番書きやすい」とか「筆記用具はあの万年筆が一番だ」などといいたいことをいっていたのだが、六年間やってみてそういうことも多少は影響するものの、問題は原稿を作る頭の中身のほうだというのがやっとわかった。家ではCRTのものを使い、家以外で原稿を書くときはポータブルと使い分けている人もいるようだが、ポータブル・ワープロまで持ち出して原稿を書く気にはならない。

喫茶店で手書きの原稿を書くことは何とも思わないけれど、そこでポータブル・ワープロを打っている姿というのは大袈裟で好きになれない。突然の停電がいつやって来るかわからないのも怖い。工事のときには事前にお知らせの紙が貼ってあったりするが、カミナリやら何かの突発事故が起こって停電したときに、必死に原稿を打っていたらこれは悲惨である。文明の利器は便利なぶんだけ面倒くさい。「包丁一本、さらしに巻いて」みたいに、「鉛筆一本、紙に巻いて」気楽にやりたいと思うようになった。

私はワープロを買うきっかけを作った彼女はどうかと電話をして聞いてみたら、最近は全然ワープロを使ってないという。

「私たちってすぐにとびついて、これはいいって大騒ぎしたあげく、すぐに飽きちゃうのよね」

二人で溜息混じりに反省した。私たちはこんなに不純なのに、まわりの人々はみないい人ばかりで、「私も貯金をはたいてワープロを買いました。とってもいいですね」などという喜びのお手紙なんかを頂いたりしてしまう。皆さんにはとても顔向けできない。

私は今、霊感商法をやったような気がして自己嫌悪に陥っている。

初出一覧

Number 連載（文藝春秋）「怒りの鉄仮面」一九八八年五月二十日号〜一九八九年九月二十日号
思想の科学連載（思想の科学社）「群ようこの一ページ」一九八四年四月号〜一九八五年三月号
SHOPPING 連載（日経ホーム出版社）「言わせてもらえば…」一九八八年一月号〜一九八八年十二月号
小説ＮＯＮ（祥伝社）一九八九年五月号
季刊音楽教育研究（音楽之友社）五十五号
Bonita Eve（秋田書店）一九八八年六月号
四季の味（鎌倉書房）六十八号
文藝春秋（文藝春秋）一九八九年七月号・一九九〇年三月号

単行本　一九九一年三月　文藝春秋刊

文春文庫

半径500 m《メートル》の日常

定価はカバーに表示してあります

1993年10月9日　第1刷
1994年7月10日　第5刷

著　者　群　ようこ

発行者　堤　　堯

発行所　株式会社　文藝春秋

東京都千代田区紀尾井町3—23　〒102
TEL　03・3265・1211

落丁、乱丁本は、お手数ですが小社営業部宛お送り下さい。送料小社負担でお取替致します。

印刷・凸版印刷　製本・加藤製本

Printed in Japan
ISBN4-16-748504-4

文春文庫　ノンフィクション